〈自由〉を生きるためのブックガイド

アナキズムを読む

田中ひかる編

皓星社

アナキズムを読む　目次

3　アナキズムの夜明け　今に息づく思想の原点

6 変革への道　世界と自分を変える方法

7 暮らしの中のアナキズム　生活を変える小さな実践

＊各ブックガイドの文末には、取り上げた書目の書誌（◆出版社名と刊行年）、およびその著者紹介（◇）を掲載した。

序章　今、なぜ、アナキストなのか

はじめに――誰がアナキストか、何がアナキズムか

二〇一六年に三十五歳で台湾のデジタル担当政務委員に就任したオードリー・タン（唐鳳、一九八一―）は、台湾でのコロナウィルスのまん延を食い止める上で重要な役割を果たした。彼女は「ＩＱ１８０のＩＴ大臣」などと呼ばれ、日本でもネットやテレビで紹介されるとともに書籍も刊行され、すでに「時の人」となっている。

タンは、自身をアナキストであると繰り返し説明している。日本ではアナキストの訳語として「無政府主義者」という語が使われてきたが、彼女にとってアナキストと「無政府主義者」は大きく異なる。「無政府主義」という語は、「本来の意味を狭める」からである。この「本来の意味」とは、「政府が強迫や暴力といった方法を用いて人々を命令に従わせようとする仕組みに反対する」、「ある企業が強迫的な手段や暴力的手段によって社員を無理やり命令に従わせていたら」、「そのやり方を変えることを望む」、そのような「権力に縛られない」「立場」のことである。[*1]したがって、政府があるかないかは大き

＊1　オードリー・タン『オードリー・タン――デジタルとＡＩの未来を語る』プレジデント社、二〇二〇年、一一〇―一一三頁。クーリエ・ジャポン編集チーム『自由への手紙――オードリー・タン』講談社、二〇二〇年、一〇四―一〇七頁。早川知久『オードリー・タン――日本人のためのデジタル未来学』ビジネス社、二〇二一年、四五―四八頁。

な問題ではない。タンの見解は、「誰がアナキストか」という問いに対する答えである。アナキストと「無政府主義者」を同義と捉え、アナキストとは政府の転覆をもくろみ爆弾を投げる人々である、あるいは、アナキズムとは国家や政府を否定する思想である、と思い込むと、破壊されるべき政府の側にいるタンの主張は矛盾に満ちたものにしか見えない。しかしタンはそのような狭いイメージに囚われることなく、権力に縛られず、政府や企業による暴力や強制に立ち向かい、これを変えようとする「立場」をアナキストと呼ぶ。この背景には、一九九〇年代末以降におきたアナキズムの「復活」で、政府が存在するかどうかにかかわらず「今・ここで」自分たちの理想を実現しようとする人々をアナキストとする定義が広まった、という状況もあるのかもしれない（終章を参照）。

いずれにしても、この地球上に生きるほとんどの人々は、タンと同じように、政府や企業による暴力や強制に向き合っている。そうだとすれば、誰もがタンのように「アナキスト」と名乗ることができる。これは、さまざまな権力と支配に向き合う私たちにとって、「今・ここで」の一つの選択肢である。しかも、どのような人であっても「アナキスト」となりうる、ということは、十九世紀からアナキストたちが主張し続けたことである。この伝統的な解釈に基づき、そして、既成のイメージに囚われなければ、アナキズムを次のように幅広く定義することができるだろう。

アナキズムとは、「アナーキー（anarchy）」すなわち「支配がない状態」を、理想的な人間関係や社会のあり方の一つであると捉え、その状態を作り出すために展開されるさまざまな思考や実践、態度（attitude）を総称したものであり、アナキストとは、それらを実践する人々である、と。

語源と意味

では次に、このような幅広い定義を、anarchismという語の起源にさかのぼってさらに考えてみよう。

「アナーキー」の語源は、古典ギリシア語「アナルキア（anarkhia）」（名詞）あるいは「アナルコス（anarkhos）」（形容詞）とされているが、いずれも「指導者（arkhon）」という語と、否定の接頭辞「不在・〜なしに（an）」による合成語である。[*2]「アナルキア」、「アナルコス」は、紀元前五世紀頃までは、広い意味での「指導者」「指揮官」あるいは「執政官（アルコン arkohn）」の「不在」という意味で用いられるが、やがて、「政治的カオス」といった否定的な意味で用いられ、遅くとも十六世紀以降のヨーロッパ諸語でも「アナーキー」は「政府の不在」という否定的な意味で用いられるようになった。十八世紀には哲学者カントが、「権力なき法と自由」を「アナーキー」と呼び、中立的な意味で用いていたが、十九世紀には、経済も含めた「無秩序」や「カオス」という意味で用いられるようになった。また、「アナキスト」という語も、フランス革命期から、「混乱をもたらす者」といったきわめて否定的な意味合いで、政敵を非難する語として使われるようになった。

これを大きく転換させたのが、ピエール＝ジョゼフ・プルードン（一八〇九―一八六五）だった。彼は、「アナーキー」を、「支配者の不在」もしくは「秩序」と定義し、そのような理想を目指す者を「アナキスト」と呼ぶことにより、「アナーキー」と「アナキスト」に肯定的な意味を与えたのである[*3]（本書所収『貧困の哲学』のガイドを参照）。ただし、同じ意味を込めて、アナキストと自称し、自らの理想をアナキズムと呼ぶ人々がヨーロッパなどで多数現れるのは、一八八〇年代以降のことである。この歴史については後述するとして、以下では本書で「アナキズム」「アナキスト」と表記する理由につい

＊2　Herman Menge, ‘*αναρχια*’, ‘*αν-αρχος*’, *Langensheidts Großwörterbuch Atlgriechisch*, 29. Aufl., (Berlin und München: Langenscheidt, 1997), p.59; ‘anarchy’, *Online Etymology Dictionary*. https://www.etymonline.com/word/anarchy; Jochen Schmück, ‘Anarchie, Anarchist und Anarchismus’, *Lexikon der Anarchie*, http://dadaweb.de/wiki/Anarchie,_Anarchist_und_Anarchismus

＊3　プルードン「所有とは何か」『プルードンⅢ』長谷川進訳、三一書房、一九七一年、二九一頁。

て述べておきたい。

日本語での表記について

英語の「アナーキー（anarchy）」は、先述したとおり、その起源である古典ギリシャ語と同様、否定の接頭辞「ない（an）」と「支配（archy）」の合成語である。ただ、英語はフランス語やドイツ語などと異なり、語頭の「a」にアクセントが置かれる。そのため、日本語を母語とする人々に、anarchy の「r」の音が聞こえない場合が多い。そのためか、英語を基準にして、「アナキスト」「アナキズム」と表記される場合が多い。

ところが、そのように表記してしまうと、「支配（archy）」という語にある「r」の音が発音されず、「支配（archy）」が「ない（an）」という本来の意味が消去されてしまう。本書では、この表記が標準化されているため、「アナキズム」「アナキスト」と記すが、以上のような問題があるという点を指摘しておきたい。なお、anarchy の日本語表記は、英語の発音を基準にすれば「アナキー」になるはずだが、「アナーキー」と表記されることのほうが多いため、本書でも「アナーキー」と表記する。

ここで archy（支配）という語に焦点を当てると、この語が、「単一の（monos）」、「聖なる（hieros）」、「父親の（pater）」といった語と合成され、「君主制（monarchy）」、「位階制・ヒエラルキー（hierarchy）」、「家父長制（patriarchy）」など、さまざまな「権力」による「支配（archy）」を意味する語を作り出していることだけでなく、「ない（an）」と否定される「支配（archy）」が、政治体制から家族に至るまで、きわめて多様であることもわかるだろう。

なぜアナキズムが生まれるのか

このように、「君主」から「父親」に至るあらゆるものが「支配」と見なされる。そうだとすれば、何を「支配」と捉えるかによって、何をアナーキーと考えるかが変わってくるということになる。これは、何がアナキズムで、誰がアナキストであるかが、個人によって千差万別になる、ということである。たしかに、歴史上のアナキストのほとんどは、国家、資本、宗教、家族の中に支配や権力を見出してきた。とはいえ、彼らが理想とする「支配のない状態（anarchy）」は多様であり、その「正しさ」をめぐってアナキストたちが論争を続けたほどであった。そのように「支配」の定義が人によって異なるのであるから、冒頭のオードリー・タンの例を見ればわかるように、政府を破壊の対象と見なさなくとも「アナキスト」と名乗ることについては、何ら矛盾はない、ということになる。

しかし、現代社会において「常識」と見なされているのは、「支配」によって「秩序」が生まれる、という考え方ではないだろうか。そういった「常識」に基づくと、「支配がない状態」を理想、あるいは「秩序」と捉えるアナキズムは、かなり変わった考え方であるかのように思える。

実際、かつて精神科医のなだいなだ（一九二九―二〇一三。本名は堀内秀）は、「規則を欲しがり、集団組織に属さないといられないという性質」をあらゆる人間が持っている、と指摘した。これは、「支配」あるいは「服従」というものが、政府や家族のようなシステムとして人間の外部にあるのではなく、人々の内面にある、ということである。

しかしながら、なだいなだは次のようにも述べている。「人間だれでも」、アナキスト的な「部分」を「幾ばくかはもっている」。それは「規則が嫌いで、平等が好き」で「家柄などというものにこだわらず、差別を不当なものと考え」、「お役所に行って、やたらと面倒な書類を書かされると、うんざりして、腹がたってきて、こんなもの要らん、と破り捨てたくなる」という「部分」である、と。さらになだいなだは、アナキスト的な「部分」と「規則を欲しがり、集団組織に属さないといられない」という「二つの部分」が、人々の「こころの中」で「常に争っている」と述べている。[*4]

そうだとすれば、アナキズムとは、そのような葛藤の中で、「支配のない状態」を自らの理想として選択した結果生まれる考え方、それに基づくさまざまな態度や実践だということになるだろう。つまり、アナキズムとは、人間の内面、もしくは社会に遍在する多様な選択肢のうちの一つであり、それを選択する行為なのである。

個人によるアナーキーの実現

このように、人がアナキストになる要因が、個人による選択にあるとすれば、アナキストが理想とする「支配のない状態」を作り出す最も重要な役割を担うのも、そのような一人ひとりの個人だ、ということになる。また、アナキストの多くは、そういった個人同士が協力して「アナーキー」が生まれる、と想定しているのであるが、他方では、アナキストとしての個人が構成する集団においてさえ、イデオロギー、人種、ジェンダーなどを基準にした、アナキストによる「支配」が生まれる可能性を、アナキストは指摘し続けている。したがって、アナキズムが重視する「協力」は、その中で生まれる新たな「支配」を指摘し、これを壊した後、アナーキーを作り出す、という永続的な活動である、ということでもある。[*5]

ところが、何を「従属」や「支配」と捉えるのか、ということについては、すでに述べたように、個人によって異なる。個人同士の「協力」があった場合、そこに「支配」を見出す者もいれば、「支配がない状態」を見出す者もいる。したがって、何が「支配のない」「協力」であるのか、ということも、個人によって千差万別になる。その結果、「アナーキー」は多様になり、その多様性こそが、アナキズムの特徴そのものとなる。

自由は社会を混乱させるのか

しかしながら、アナキストたちに対しては、次のような批判がなされてきた。人間が「支配のない状態」になればなるほど、つまり、人間が自由になればなるほど、人はばらばらになり、相互に敵対し、その結果、社会は混乱に陥る、だから政府や権力が必要なのであり、アナキストたちの主張は、理想論である、と。

これに対し、アナキストのヨハン・モスト（一八四六―一九〇六）は、次のように反論した。「人間が自由になればなるほど、個人に対する強制が少なくなればなるほど、さらに個人の好みや才能、そして能力を伸ばすことが可能になればなるほど［中略］誰もが連帯の感情を強める。個人の自由が増大すれば、人類が原子のように分解するなどと考えられがちだが、むしろ人間は相互に敬意と愛情を示すようになる」、つまり、「支配のない状態」は、人々のあいだに連帯を作り出し、協力関係を作り出すのである、と。[*6]

他方、個人がそれぞれ自らの自由を追求すれば、他者の自由と衝突し、社会は紛争と混乱に陥るので

＊4　なだいなだ「解説　アナーキズムは永遠である」竹中労『断影　大杉栄』ちくま文庫、二〇〇〇年、三〇三―三〇四頁。この「詩」にはメロディーがつけられている。「アナーキズムは永遠である」作詞 なだいなだ／作曲 池田敬二：https://www.youtube.com/watch?v=zypg8o-4Gf0

＊5　この点については、ルース・キンナ『アナキズムの歴史――支配に抗する思想と運動』米山裕子訳、河出書房新社、二〇二〇年、一一一―一三、一五四―一八二頁を参照。

＊6　Johann Most, *Die freie Gesellschaft* (New York, 1884), p.54.

はないか、という疑問に対する答えは、ミハイル・バクーニン（一八一四―一八七六）による次の言葉に見出すことができるだろう。「私が本当に自由であるのは、私を取り巻くすべての人間的存在が男も女も私と同じように自由な時だけである」[*7]（本書所収『国家制度とアナーキー』のガイドを参照）。

多くのアナキストたちも、多かれ少なかれ、これと同様の見解を共有するだろう。彼らは、自己と他者との関係性を、対等かつ相互的なものとして捉え、そのような関係性においては、一方が他方を支配するということは起こりえず、そこにあるのは協力と連帯である、と主張しているからである。

しかし、二十一世紀の現在、「アナーキー」という理想は、はたして現実的なのだろうか。というのも、アナキズムが理想とする「支配のない状態」とは逆の事態が、現在進行しているように見えるからである。

自発的に服従する人々

そもそも、これまで数百年以上の時間をかけて、地球上に生きるほとんどの人々が、国家や資本主義、あるいは家父長制などによるさまざまな「支配」を受け入れ、自発的に、それらの支配に服従してきた。また、家族・地域・学校・軍隊・労働といったさまざまなシステム、さらには社会の規範や慣習は、国家や資本主義と同等か、もしくはそれ以上に、人が「支配」を自発的に受け入れることを訓練するために機能してきたはずである。しかし、そのような「支配」によって多くの人々が感じているのは、幸福ではなく苦痛や「生きづらさ」ではないだろうか。その背景には、貧富の格差の拡大が現実に起きていることだけでなく、人々が新自由主義的な価値観を内面化していることにも求められるかもしれない。学校や職場での「競争」における「失敗」を「自己責任」と見なし、失敗した他者だけでなく、自分自身も叱責して貶めていけば、自己肯定感も他者への共感も持てなくなる。その結果、協力や助け合いが生じる余地はなくなり、人々は孤立と分断に追いやられていくことになるからである。

二〇二〇年から始まったパンデミックの中でも、世界中の人々は、外出の禁止／自粛をはじめとする国家からの一連の指示に従ってきた。それと同時に多くの人々は、収入の減少、失業、さらには住居の喪失などにも見舞われ、困窮に追い込まれてきている。加えて、ドメスティックバイオレンスという私的領域における支配と暴力が増大してきた。それにもかかわらず人々は今後も「これ以外に選択肢はない」と思い続け、さまざまな「支配」への服従を続けることになるのだろうか。

おわりに──今、なぜ、アナキズムなのか

パンデミックのただ中で、困窮する人々を救援するための膨大な数の活動が世界中で生まれている。このような活動は、アナキストが用いてきた「相互扶助」という言葉で表現されている。また、抑圧された人々との連帯を表明する行動が、世界中で起きている。その一つが、二〇二〇年に起きたジョージ・フロイド事件以降に高揚した、ブラック・ライヴズ・マターの運動であった。これら相互扶助や国境を越えた抗議行動は、国家や企業が主導したものではなく、大きな組織や特定のイデオロギーに基づいたものでもなく、多様な人々による自発的な活動の集合体である。ドイツのあるアナキストは、この「日常のアナーキー」によって、「アナキズムなし」でも「アナーキー」は実現できるということが明確になった、と述べている。[*8]

アナーキーが日常にあるという点について、多くのアナキストたちの見解は一致する。例えばエマ・ゴールドマン（一八六九─一九四〇）は、アナキズムとは「私たちが生きていく中で経験するさまざまな

＊7　M・A・バクーニン「神と国家（二）」『バクーニン著作集3』外川継男訳、白水社、三一九頁。
＊8　Jochen Schmück, 'Kommt nach der Pandemie Anarchie?' *espero 2* (Neue Folge) Januar, 2021 p.58; Marina Sitrin and Collective Sembrar eds. *Pandemic Solidarity: Mutual Aid during the Covid-19 Crisis* (London: Pluto Press, 2020).

出来事にはらまれる生き生きとした力」であり、「常に創造され続ける新しい状況」であると述べ[*9]（本書所収『エマ・ゴールドマン自伝』のガイドを参照）、コリン・ウォード（一九二四―二〇一〇）も、アナキズムを「社会的自決の営為」と呼び、たとえ国家や資本による支配のただ中であっても、「雪の下にうもれている種子のように」、アナキズムに基づく社会は人々のあいだに存在する、としている（本書所収『現代のアナキズム』のガイドを参照）。つまり、政府や資本主義による「支配」があっても、人々の日常的で自発的な協力の中にアナーキーはすでに存在する、ということである。

コロナ禍の終息はまだ見えない。だが、いずれ「ポスト・コロナ」と呼ばれる時代になったとき、私たちは、以前と同様に、国家や資本、家族や社会的慣習による支配に服従し続けるのだろうか。それとも、「社会的自決の営為」により「常に創造され続ける新しい状況」を作り出す、「雪の下にうもれている種子」となるのだろうか。いずれにしても、日常的なアナーキーは、私たちを取り巻く世界に遍在している。「支配のない状態」は常に「今・ここで」生きる私たちにとっての選択肢である。

＊

本書は、五十点以上の著作のブックガイド、そしてコラム、エッセイ、編者による序章と終章で構成されている。ブックガイドは以下のとおり7つのセクションに分けた。まず、広い意味でのアナキズムを学ぶための著書を取りあげたのが「1　アナキズムへの招待」と「2　極私的アナキズム入門」である。1は、アナキズムという語や概念を意識した著作を多く取りあげ、また、広い意味でのアナキズムの精神を表現していることを基準にして選書をしている。それにくらべると2は、執筆者の考えが強く反映された選書になっている。なお、1に収められている『ジェイン・エア』は、ルース・キンナ『アナキズムの歴史』でも取りあげられているように、アナキズムを読み取ることができる小説として典型的な事例と考えられている。「3　アナキズムの夜明け」は、戦前に刊行されたアナキスト自身の著作、「4

アナキストの夢とその時代」は、戦前の運動や思想に関する著書（戦後に出版）を、そして「5　戦後世界のアナキズム」では、一九四五年から現在までに活躍したアナキスト自身の著作を扱っている。「6　変革への道」は、アナキズム的な現代の社会運動に関するいくつかの著書のガイドである。「7　暮らしの中のアナキズム」は、日常生活で実践するアナキズムに関する著書を取りあげている。

コラムでは、現代のアナキズムに関する活動や文献が紹介され、エッセイでは、それぞれの筆者の視点から日常的なアナキズムが描かれている。

ブックガイド1〜7では、「アナキスト」と名乗らない著者による、「アナキズム」を扱っていない著書も多く選書している。それらの著書にアナキズム的な要素を読みとることができるからである。

日本では、過去十五年ほどの間に、たとえばデヴィッド・グレーバー、高祖岩三郎、栗原康、森元斎、ブレイディみかこらによるアナキズムを扱った著作が刊行されている。これらの著作は一般読者のアナキズムへの関心を促した。しかし本書では、これらのほとんどを取りあげていない。それは本書が、これらの著作の領域を超えて、できるかぎり「幅広いアナキズム」という要素を持つ著作を優先して選書したからであり、また、アナキズムに関心を持ちながらも「近寄りがたい」と感じてアナキズムになかなかアプローチできない読者を想定して編集されているからである。そのような人々が、本書に収められた多種多様なブックガイドを読むことで、アナキズムへと至る無数の「入口」を発見することを願ってやまない。

二〇二一年八月

編者　田中ひかる

＊9　Emma Goldman, 'Anarchism: What it Really Stands for' in *Anarchism and Other Essays* (New York: Dover Publications, 1969), p.62.

1 アナキズムへの招待

自由な生に誘う言葉たち

私たちが生きる社会や人間関係から受ける理不尽な抑圧にどう向き合えばいいのか。「支配がない状態」を作り出すための多様な思考や実践に、自分らしく生きるためのヒントを読む。

鶴見俊輔「方法としてのアナキズム」

強制力に抵抗し人びとが助けあって生きる作法

那須耕介

一九四二年、ハーヴァード大に留学中だった十九歳の鶴見俊輔は、ＦＢＩの取調べに「自分はアナキストだから米国も日本も支持しない」と答えて収容所に送られた。

政治家の家に生まれてその言動を間近に見聞きするなか、国家権力が統治者と被治者の両方を蝕んでいくさまを肌身で学んできた彼が、ここでそう述べたことに不思議はない。以来、鶴見は国家に由来する悪を自分の取り組むべき問題の一つとして手放さなかった。その限りにおいて、彼は生涯アナキズムから離れなかったと言えるだろう。

問題は、それがその後どんな形をとるようになったかだ。

およそ三十年後、一九七〇年に書かれた「方法としてのアナキズム」は、口調こそ静かだが、従来のアナキズム思想と運動に対する深くきびしい問いにつらぬかれている。

あらゆる権力関係の根絶と相互扶助社会の建設という理想は、その高邁さゆえに、何度も現実の前で膝を屈してきた。そこから、テロリズムに突き進んで現実を力ずくで転覆することをめざすか。抵抗と変革をあきらめて穏やかな世捨て人のアナキズムへと退くか。そのどちらもよしとしないのなら、ほかにどんな道がありうるのか。またさらに、革命の起爆力となりつつも、革命が成就すると弾圧され権力批判の力を失っていく、というアナキズム運動史におなじみの反復を避ける有効なやり方はあるのか。

みずから「アナキズム」を名乗るもののなかに有望な答えはない、というのが鶴見の見立てだ。むしろアナキズムは本来、人間の社会習慣の中に、なかばうもれている状態で、人間の歴史とともに生きてきた……。習慣の中に無自覚の形である部分が大きく、自他に向かってはっきり言える部分は少ない。

だからこそ、明確な理念とその下に整えられた理論や綱領ではなく、そこからいつも漏れおちていくものとしての「個人のパースナリティーであり、集団の人間関係であり、無意識の習慣をふくめての社会の伝統」のなかに、静かに探針を差し入れてやる必要がある。そこに潜むアナキズムの種子——力による強制を拒んでこれをふりほどく身振り、屈従を強いられた人びとの助けあいの気風——を見分け、そのはたらきに従い、これを育てることがなければ、アナキズムの旗印は残っても、その実質は失われてしまうに違いない。

このような観点からこのエッセイで示されるアナキズムの種子は、たとえば、カルロス・カスタネダがアメリカ・インディアンの老人から学んだ無文字社会の身ごなしの作法であり、森のなかで一人手づくりの生活実験を試みたヘンリー・デイヴィッド・ソローの、善行を強い、強いられる人づきあいを逃れて簡素な生活を楽しもうとする人柄である。

しかし、鶴見が求めたアナキズムの形をここに記されたものだけから推しはかろうとするのは、「アナキズム」の札を下げたものだけをアナキズムと思うな、という彼の意図を裏切ることになるのではないか。

彼の膨大な著作からはみ出す、その行動の広がりをふりかえってみよう。ハンセン病患者との交流とらい予防法の廃止を求める運動。不法に日本に入国、滞在したとされる朝鮮人を収容した大村収容所の廃止を求める運動。従来の労働運動や学生運動とは異質の自発的かつ雑居的な組織体（べ平連）に担われたベトナム反戦運動。そうした組織さえもたず、点と点をつなぐようにして進められた脱走兵援助。そして不本意な職務や人間関係に悩む自衛官の声に耳を傾けることをめざした自衛官ホットラインの活動。これらはすべて、強制力によることなく人々が助けあって生きることはどこでどんなふうにして可能か、という問いに対するその場その場のとっさの応答だった。そしてそれらはどれも、結果的にその時々の政府の姿勢に正面から抗うものとなったのだった。

方法としてのアナキズムという題が示す通り、鶴見にとってアナキズムは追い求めるべき目的ではなかった。それはむしろ、「この地上に人間がいてひまをたのしむということはいいことだ」というソローへの共感をたずさえて毎日を過ごすための工夫、しかし自分の判断に則して行動する自由を脅かすものには実力行使も含む「きばのある」抵抗を続ける手口の集積だったのだろう。

いま、目的ではなく手段としてアナキズムをつかみなおすなら、どこにどんな種子が探りあてられるか。このテキストが書かれて五十年、それ自体を方法として読みなおすことが求められている。

（なす・こうすけ　京都大学大学院教授、法哲学）

◆「方法としてのアナキズム」は黒川創編『身ぶりとしての抵抗　鶴見俊輔コレクション２』（河出文庫、二〇一二）所収。初出は「展望」一九七〇年十一月号（『鶴見俊輔集９』筑摩書房、一九九一）。

◇鶴見俊輔（一九二二―二〇一五）哲学者。敗戦直後から五十年間にわたり雑誌『思想の科学』の編集に携わる一方、数々の反戦運動、市民運動に関与した。『限界芸術論』（ちくま学芸文庫）、『高野長英』（朝日選書）、『共同研究　転向』（東洋文庫）、『日本の百年』（ちくま学芸文庫）等、著書、編著書多数。

戸田三三冬『平和学と歴史学――アナキズムの可能性』

人間のやさしさを解き放つこと、それがアナーキー

田中ひかる

本書は、イタリア出身のアナーキストであるエッリーコ・マラテスタの研究者、戸田三三冬《みさと》（一九三三―二〇一八）の没後に刊行された著作集である。本書の第一部には、大学の授業などで戸田が平和学を論じるなかで語ったアナキズム論が収められ、第二部には、近現代イタリア史とマラテスタ研究に関する論文が収められている。第一部で戸田が語るアナキズム論は、平易な言葉で語られたものであり、「入門」と呼ぶにふさわしい。その基礎は、第二部の研究論文にあるが、ここでは、第一部の中で戸田が語るアナキズムを紹介したい。

戸田にとってアナーキーとは、一人ひとりが「自分らしくあって、それで全員が調和できる世界」であるが、彼女がさらにかみ砕いて説明すると、次のようになる。

「人間のやさしさを解き放つことがアナーキーなのね」「自分が自分（自己）との関係をきちんとつけ、同時に周りの人々（他己）と関係を結ぶってことなのよ」（＊）。

この「アナーキーな世界を創出するための方法」が、アナキズムである、と戸田は言うのだが、これについても、さらにかみ砕いて、次のように説明している。

「いいなあ、私の生活の中で少しはできるかしら」と思って工夫をすれば、それが『あなたのアナキズム』。「みんながしあわせや自由を感じる、感じ合える、そんな人間のグループをどうやってつくったらいいか」という問題に取り組む上での「一人ひとりの実践の方法」がアナキズム（＊）。拍子抜けするほど簡単な話である。

こういったアナーキーと正反対の状態は、頂点に「命令する人」がいる「三角形」の「上から命令する」世界である（＊）。このような世の中で生きている私たちであっても、アナーキーを目指す「自己」になることができる、と戸田は言う。ただし、彼女がここで想定する「自己」は、家父長制をはじめとするさまざまな「構造的暴力」の中で抑圧される女性である。こうして戸田は、長らく日本で続いてきた、「男性を主体とするアナキズム」という流れを断ち切ったのである。

「戸田によれば、女性は、構造的暴力を内面化することで自己規制を行い他者に従属する。だが、抑圧がなくなれば、自己規制をやめてパワーを持つことができるようになり、その結果、対等な個人の関係が生まれ、自由な個人と集団の連合体が実現できるはずだ。では、女性が構造的暴力を内面化しないためには、どうすればよいだろうか。

戸田は、森田ゆりが提唱した「エンパワメント」に注目する。人々が交流するなかで、相互に内在している肯定的なパワーに働きかけあったらどうなるか。肯定的なパワーとは、信頼、共感、愛、自己尊重などである。人は、これらのパワーを持っていることに気がつき、発揮しあうだろう。自己の内面にあるパワーに気がつくことができれば、他者と共感し、連帯し、交流ができる。そして、このような自己があれば、構造的暴力に対抗することができる、と戸田は考える。

戸田は、このエンパワメントに、横山正樹が提唱した「エクスポージャー」を結びつける。「ある状況の中へ身をさらし、相手の世界観の中に自分をさらけ出す（エクスポーズ）ことによって、状況から学び、相手から教えられる」という実践である。「本当の自分をさらけ出し、エクスポーズ」するという相互関係を創り上げていくことで、相互の信頼感を醸成できるだろう。この信頼感を抱くことができれば、構造的暴力を克服できるだろう。

さらに戸田は、自分が長年実践してきた坐禅での呼吸法を、これらの実践に組み合わせる。呼吸を通じて、自己の「いのち」を実感するとともに、お互いに呼吸をする存在である、という認識を得ることで、相互の承認も生まれるからである。

こういった関係性の中で最も重要なのは、戸田がマラテスタから学んだ「愛」である。他者を愛すること、相互に愛し合うことなくしては、この自由と連合の関係性は生み出せない。戸田のアナキズムは、他者と関わる中で、自己と他者を抑圧から解放することで実現する、愛と平和のアナキズムである。本書を読めば、アナキズムといえば暴力だ、という先入観が徹底的に破壊される。「過激」なのは暴力だろうか、愛と平和だろうか。本書に答えがある。

＊「【追悼掲載】アナーキーな幸せ／戸田三三冬」（コリーヌ・ブレ編著『人間アナーキー』モジカンパニー、二〇〇二年）。「アナキズム文献センター」ウェブサイトに掲載（http://cira-japana.net/pr/?p=645）。

（たなか・ひかる　明治大学法学部教員、社会思想史）

◆三元社（二〇二〇）。

◇戸田三三冬（一九三三―二〇一八）　歴史家。マラテスタ研究者。二〇〇四年三月まで文教大学国際学部教授をつとめた。イタリア語の主著『エッリーコ・マラテスタ――マッツィーニからバクーニンまで』のほか、監修・解説を担当したアーダ・ゴベッティ『パルチザン日記1943-1945――イタリア反ファシズムを生きた女性』（堤康徳訳、平凡社）、「平和の方法としてのアナキズム」（『国家を超える視角――次世代の平和』法律文化社）など。

金子光晴『絶望の精神史』

「ひげの時代」を生きる日本人の運命を描く

金子 遊

金子光晴(一八九五―一九七五)は、明治二十八年生まれの詩人であり、するどい文明批評を含んだ自伝的エッセイの書き手として知られる。二十代から三十代の時期に、東南アジアやヨーロッパで計五年にわたって放浪生活をした。海外生活の経験は、彼のなかに強靭なコスモポリタニズムの精神をつくり、近代日本人を突き放して批評する距離を生みだした。本書では、明治期の開国から日中戦争や太平洋戦争を経て、敗戦にいたるまでの約八十年にわたる近代化と、それが破綻した歴史を「絶望」というキーワードで体験的に振りかえっている。

まず、日本は地理的に孤立した島国であり、温暖湿潤な風土が近代日本人の抑圧された異常な精神に関わっていると金子光晴はいう。古い義理人情の世界が温存され、合理主義のかわりに迷信ぶかい神秘主義が残ったのだ。金子によれば、近代日本は「ひげの時代」だった。二六五年つづいた江戸時代、将軍は「戦国の武将気質をひげとともにそり落とさせ」、庶民も顔はいつもさっぱりさせていた。明治になるとヨーロッパの偉人たちをまねて、新政府の大臣、役人、巡査、軍人たちは威厳をだすためにひげを伸ばした。人びとは天皇中心の国家観を叩きこまれ、上官に絶対服従する軍人の位階制度が国民全体に義務づけられた。その最上位に立派なひげの明治天皇が神格化されてあった。金子は幼いころから病弱で、いくつか大学へ入っても続かない文学青年だった。結核で死んだ北村透谷や石川啄木や国木田独歩のように、当時の文学青年には胸に疾患をもつ者が多かった。国家と家父長制度から自由になるべく、父親に逆らい、熱に浮かされたように文学、恋愛、社会主義運動に身を投じて悲劇的な結末をむかえることが、ひげの時代を生きる青年たちの絶望的な運命だった。

大正時代になり、第一次大戦後の好況のなか、二十四歳の金子光晴は一年ほど東南アジア経由でヨーロッパ渡航にでる。「大国の文化をとり入れて自国の文化に消化するのを能としてきた日本人」は、今度は西欧の精神文化を自分のものにしようとした。目の前で輝く西洋文化を前にして、明金子は「同好の仲間と、外国について語り、見聞をひろめ、そこの蜃気楼に住む」ことで陶酔するが、やがて丸い鼻、黄色い肌、短い足をもつ物まね猿にすぎない自身をかえりみて「絶望」に落ちこむ。大正期には軍と官憲が弱腰になり、人びとは個人の自由やヒューマニズムについて議論できたが、そのリベラリズムは伝統として根づかなかった。この時期の自由な空気と海外生活を経て、金子は自分をエトランゼ（異邦人、旅人）だと自認するようになる。「日本人でありながら、日本の政治、経済、国勢の伸張、国家的義務など、いっさいに、注意も関心ももたない人間は、異邦人でしかないという考えは、自分としても、ある爽快さを味わうことができた」という。現代日本に蔓延する政治的無関心も、源流をたどれば、この時代の軍人や政治家の横暴を回避しようとした感情にまで遡れるかもしれない。そうであるなら、金子のエトランゼ的な態度にも今日的な意義を見いだせる。

その後の日本ではふたたび軍国主義が台頭し、ふたつの戦争をして敗戦まで突き進むが、金子光晴は独自のニヒリズムを内に秘めて時代を生き抜いた。アナーキストを名乗る若い詩人たちが、世界恐慌の不況下で飲んで暴れているのを尻目に、大陸にわたって上海の無政府主義者くずれとつき合い、魯迅が共産主義と無政府主義の狭間で悩むのを冷やかした。シンガポール、ジャワ、スマトラ、インドで二年ほど乞食のような流浪生活を送ったあと、パリでは世界中の食いつめ者たちが集まる安宿で暮らした。昭和に入って日中戦争がはじまると、日本軍は大陸で「東洋鬼」と呼ばれるような残虐非道をくり広げた。そんな時代になっても、金子は息子の徴兵を阻止するため、生の松葉をいぶして息子に喘息発作を起こさせ、医師の診断書を手に入れるために奔走した。戦後になると、秋山清、壺井繁治、岡本潤らが一緒に同人誌を出そうと誘ってくるなど、金子のエトランゼ精神は「反戦を貫いた詩人」という新たな評価を得た。どんな時代にあっても、現実社会から数センチ浮いたところでニヤニヤ笑い、日本近代の「絶望」を旅人のようにやりすごした金子の姿に、アナーキズムと通底する姿勢を感じることは不自然ではない。

（かねこ・ゆう　批評家、映像作家）

◆講談社文芸文庫（一九九六）。初版は光文社カッパブックス（一九六五）。本書の扉には「体験した『明治百年』の悲惨と残酷」という副題が付けられている。

◇金子光晴（一八九五－一九七五）　詩人。昭和初期に妻の森三千代と約五年にわたって東南アジアからヨーロッパまでを放浪した経験は自伝三部作『どくろ杯』『ねむれ巴里』『西ひがし』（いずれも中公文庫）に結実。『金子光晴詩集』（岩波文庫）、『風流戸解記』（講談社文芸文庫）等、著書多数。全集（全十五巻）は中央公論社刊。

ルース・キンナ『アナキズムの歴史——支配に抗する思想と運動』

女性の視点から描くアナキズムの現状と未来

田中ひかる

著者のキンナは、現在イギリスのラフバラー大学で政治学を教えている。本書には、従来の類書と異なる特徴が大きく分けて二点ある。第一に、本書が女性の視点から描かれている点である。第二に、現代のアナキズムの現状と未来を論じている点である。これは、著者が女性であり、アナキズム研究雑誌『アナキスト・スタディーズ』の編集や実際の運動に参加することを通じて、理論面でも実践面でも、現代のアナキズムに深く関わっていることに起因する。

まず第一の特徴から見ていこう。本書には、従来の「男性が語るアナキズム」では取りあげられていない、多数の女性アナキストたちが登場するとともに、彼女たちの力強い言葉が至る所で引用されている。ルイーズ・ミシェル、ヴォルテリーン・デ・クレイア、エマ・ゴールドマン、ルーシー・パーソンズ、何震《かしん》、シャーロット・ウィルソン、スペインの女性運動「自由な女性」など、著者は繰り返し女性たちを登場させ、彼女たちの言葉を引用し、彼女たちが、フェミニズムだけではなく、植民地主義・帝国主義・直接行動・テロル・暴力革命など、男性アナキストと同じ問題を議論していることを明らかにしている。同時に著者は、シモーヌ・ヴェイユ、ベル・フックスら、アナキストを自称していないが、アナキズム的な主張を展開した女性たちも数多く取りあげている。

さらに著者は、男性のアナキストによる女性のアナキストに関する差別・偏見・性暴力を取りあげている。このような偏見・差別・暴力に対する女性たちの闘いは、アナキズムの本質を論じる上で重要である。女性だけでなく、性的マイノリティ、先住民らの闘いは、それまでに創り出されていた「調和」というアナキストたちの関係性に葛藤を生み出し、ついには崩壊をもたらす。だが、やがて均衡と調和へと向かって変化し、新たな均衡点で再びアナーキーが生まれる。十九世紀以来、アナキストは、アナーキーの本質とはそういうものだ、と何度も指摘してきた。フェミニストらが旧来の「調和」に異を唱え、分裂と葛藤を創り出すことで、アナキズムは、激しく揺れ動くようになり、活力を得たのである。

こうして本書は、アナキズムが男性の独占する領域ではないということ、「男性の語るアナキズム」が、男性の「特権」に基づく、女性をはじめとする多様な人々による「語り」の排除と抑圧であり、それがこれまで自覚されてこなかった、ということを明らかにする。たとえば著者は、この「特権」の問題を、二〇一二年に開催された英国アナキスト連合女性集会での議論で出された、次のような訴えから明らかにしている。

同性愛者は自らをどうやって「標準」にあわせ、あるいはそれと差異化すればいいのか、ということを、さまざまな場面で悩み苦しみ続ける日々を送っている。しかし異性愛者であることが「特権」を持っていることに異性愛者自身は無自覚であり、異性愛という「標準」と自分のアイデンティティとのあいだで日々葛藤する同性愛者の苦しみ、その抑圧について理解がおよばないのだ、と。

本書の第二の特徴は、以上のような現代のアナキストたちの間で起きている論点を強く意識しているところにある。たとえば、現代のアナキズムにおいては、国家・資本・社会ばかりか、アナキストの人間関係においても日々発生する「支配」が議論されていることが明らかにされている。この問題が、一九六〇年代以降、フェミニストたちによって発見されて以来、アナキストたちは、自分たちの関係性の中にさえ「支配」と抑圧を見出し、公開の場で激しい議論を続け、その解決を通じたアナーキーの実現を模索している。

さらに著者は、アナキズムが未来に果たす役割を見出している。アナキストは、社会にさまざまな問題を見出し、アナキスト以外の人びととともに、その解決とアナーキーの実現を模索するだろう。他方、支配に対して自発的に服従している人びとには、アナキストの行動や表現行為を通じて、支配から解放に向かう道筋を示していくことができる。現実に目の前にある社会関係や社会制度をアナーキーなものへと変えていく機会は無数にある。まずは自分とつながるさまざまな人間関係をアナーキーなものにしていくことが、その出発点になるということを、著者は私たちに語りかけている。

（たなか・ひかる　明治大学法学部教員、社会思想史）

◆河出書房新社（米山裕子訳、二〇二〇）。原書は *The Government of No One: The Theory and Practice of Anarchism*, Penguin Books, 2019.

◇ルース・キンナ（Ruth Kinna）　イギリスのラフバラー大学の政治・歴史・国際関係学部教授。専門は政治理論。アナキズム研究雑誌『アナキスト・スタディーズ』の共同編集者。他の著書に *William Morris: The Art of Socialism*, *Anarchism: A Beginner's Guide* など。

レベッカ・ソルニット『定本　災害ユートピア――なぜそのとき特別な共同体が立ち上がるのか』

パンデミックと格闘する日々が続く今こそ読むべき一書

山本明代

突然起こる災害は人々から住まいや職などの日常生活だけでなく、時には友人や家族、当人の健康や命を奪う。そのため、災害によって失われる命や財産、生活の激変に対して人々は強い恐怖心を抱き、災害の後に待っているのは地獄のような世界であると考える。実際、近年起こった災害を見ても、気候変動による豪雨や森林火災、地震などの自然災害、高層ビルや橋の倒壊などの大事故、大規模な銃撃事件、原子力発電所からの放射能流出の被害は甚大であり、現在進行中のCOVID－19の感染拡大でも四六五万の人命が失われた（二〇二一年九月現在）。こうした大災害が起こった後で人々はどのように行動するのか。レベッカ・ソルニットは、災害後に人々は恐怖に打ちひしがれて利己的になって自分だけが生き延びようとするのではなく、ユートピアとも呼べるような特別な共同体が立ち上がることを本書で論じている。パンデミックと格闘する日々が続く今こそ読むべき一冊である。

本書の英文原書は二〇〇九年にペンギングループのヴァイキングプレスで刊行され、二〇一〇年に日本語翻訳の初版版が出版されている。そして二〇二〇年に「定本」と題した新版では、初版で省略された数節と注釈、著者を紹介した解説が新たに加わった。著者のレベッカ・ソルニットは環境問題やフェミニズムなどに関する著作があるノンフィクションライターであり、先住民の土地の権利回復や女性の性差別のために闘うアクティヴィストでもある。

大災害が起こると、人々はパニックに陥り、略奪や蛮行を犯し、暴動が起こると思われがちである。しかし、本書はそのステレオタイプに反論し、そのイメージを次々と覆していく。まず一般市民がパニックになるイメージは、メディアがセンセーショナルな場面のみを切り取って繰り返し報道することによって刷り込まれるが、実態とはかけ離れている。この点について二十世紀初頭から過去百年以上にわたるアメリカ合衆国の大災害の事例を用いて検証している。略奪についても火事場泥棒のように災害時の混乱に乗じて利益を得ようとする行為と、現金経済が存在しなくなった危機的状況の中で必需品を緊急的に得ようとする行為とは区別すべきだと述べている。そして、パニックを起こすのは一般市民ではなく、エリートたちであることを強調している。エリートたちは自ら作った秩序が災害によって崩壊し、貧乏人や移民らによって所有物が奪われるのではないか、彼らの正統性に挑戦する社会的混乱が起こることを非常に恐れる、つまり「エリート・パニック」（キャスリーン・J・ティアニー）に陥るのである。本書はその最も残忍な例として、一九二三年九月の関東大震災後に起こった大杉栄と伊藤野枝、六歳の甥、橘宗一の虐殺事件を挙げている。

災害時には既存のヒエラルヒーや行政・公共機関といった社会構造が崩壊し、その結果、ソルニットによると、人々が自由に選んだ協力のもとに結束する、クロポトキンが提唱する無政府状態になるのである。一九〇三年のサンフランシスコ大地震後に市内各所で市民が無料のスープキッチンを設営し、二〇〇一年九月十一日の同時多発テロ事件後にニューヨークのユニオンスクエアではホームレスの人たちが住民とともに支援ボランティアを組織した。ソルニットは、ナオミ・クラインの『ショック・ドクトリン』（原書二〇〇七年）でエリート層が災害に乗じて利権をむさぼり支配を確立する一方で、一般市民が無力な存在として描かれている点を批判している。そうではなく、大災害が起こると人々は何かをしようと決断し、見知らぬ人と力を合わせる、クロポトキンのいうところの自発的決定の無政府状態になっているのだとソルニットは指摘している。権威が不在の時に、人々は活発な共同体を作る意志も能力もあり、実際にいくつもの災害の場で地域的な共同体がうまく機能したのだ。

とはいえ災害は一時的なものであるため、「災害ユートピア」はハキム・ベイが述べた「一時的自律ゾーン（TAZ）」のように短命なものかもしれない。しかし、そこで得た新たなエネルギーとネットワーク、そして自由は、災害による苦しみや死と喪失への悲嘆を越えて、その先の生をつなぐ力になるだろう。各々の日常に戻った時、それまでとは違った新たな可能性を社会と自らに見出すことだろう。別の選択肢は必ずあるのである。

（やまもと・あきよ　名古屋市立大学教員、西洋史）

◆亜紀書房（高月園子訳、二〇一〇）。原書は *A Paradise Built in Hell: The Extraordinary Communities That Arise in Disaster*, Viking Adult, 2009.

◇レベッカ・ソルニット（Rebecca Solnit　一九六一年生まれ）　アメリカのノンフィクション作家。環境問題や人権問題、反戦運動に取り組むアクティヴィスト。他の著書に『説教したがる男たち』（ハーン小路恭子訳、左右社）、『それを、真の名で呼ぶならば――危機の時代と言葉の力』（渡辺由佳里訳、岩波書店）など。

緒方正人『チッソは私であった――水俣病の思想』

「人間の責任」を問うことから人間の解放を希求する

田中ひかる

著者は、不知火海《しらぬいかい》を臨む女島《めしま》出身の漁師である。六歳の時、父親を水俣病で失い、その後、著者を含め一族二十人以上が発症する。中学卒業後、家出をして熊本で暴力団・右翼に属する同世代の若者たちの中で生き、少年鑑別所に入れられてから故郷に戻る。一九七四年から水俣病患者認定申請協議会に加わり、環境省追及行動で何度も上京し、「認定申請者は金目当てのニセ患者」と発言した熊本県議会議員に対して抗議行動を行って逮捕される。そのような激しい行動は、「父親の仇」をとる、という強い意志から生まれたものであった。

ところが著者は、三十一歳の時、患者認定申請を取り下げ、訴訟活動からも退き、チッソ工場前で毎週座り込みを行い、「人間」として「謝罪」を求め、チッソの社員たちに話しかける。一九九五年、「本願の会」を立ち上げ、工場の廃液や汚染された魚をつめたドラム缶の上に建設された公園に、自ら掘った石仏を安置する活動とともに、自らの見解を人々に伝える講演も続けてきた。本書はそのような講演を収めたものであり、その中で著者が述べた言葉「チッソは私であった」を表題に用いたものである。

運動の先頭に立ち激しい闘争を行っていた頃、著者が求めていたのは、「率直に事実を認め、心から詫びる」ことであった。ところが、チッソ・国・県・裁判所のどこに行っても「問いを受けてくれる相手がいつもコロコロ入れ替わって、相手の主体が見えない」。その結果「目に見えないシステムと空回りしてけんかしている」と感じるようになる。それは、水俣病患者に対する補償の筋道がつくられることを通じて、「水俣病患者がその制度の中に組み込まれてしまった」からである。

このように、「責任主体としての人間が、チッソにも政治、行政、社会のどこにもいない」という状況に直面する中で、「行き場のない責任」が自分に「跳ね返ってきた」結果、「水俣病事件は加害者だけを問うものではないんじゃないか」、もし自分がチッソの労働者や幹部だったら、自分も「欲望の価値構造」の中で、「同じこと」をしたのではないか、と思い至る。この「逆転の認識」に至った著者は、「奈落の底に突き落とされるような衝撃をおぼえ狂った」。同時に、著者は、水俣病事件が問うているのは、「人に対する罪」だけではなく、資本主義社会で生きる自分たちが破壊してきた自然を含めあらゆる生命に対する罪ではないか、と思うようになる。「加害者たちの責任を問う水俣病」から、自分の「人間の責任」が問われる水俣病へと認識の「どんでん返し」が起きる。「お前はどうなんだ」という「問い」に「自分が押しつぶされんばかりに狂ってしまった」。テレビや信号機など、「一方的に指示してくるもの」に「拒絶感」をおぼえる一方、家族や村の価値観に縛られているという現実に直面し、「自分がわからなくなっていた」。草木と話し、海に行って両手をついてひれ伏し、「命あるもの」に「詫び」を入れた。

この「狂い」を経て著者は、法律と制度、そして水俣病事件を生みだした時代の価値観が構造的に組み込まれている「システム社会」が水俣病事件を生みだした、と思い至る。このシステム社会は、資本主義が作り出す消費財で埋め尽くされ、複雑な仕組みと、水俣病を起こした時代の「欲望の価値構造」に支配されている。人は「息苦しさ」を感じながら、そこから抜け出すことができない。「張り巡らされた制度の網」の中で、人は魚のように「養殖」されている。あらゆる生命は「値付けされた商品」として市場経済に組み込まれ、科学技術によって「命の記憶」が書き替えられ、改造させられていく。

たしかに水俣病事件に焦点を絞れば、その責任はチッソにある。しかし、「近代化」「豊かさ」を求めた「システム社会」は、「私たち自身」である。だから自分も「もう一人のチッソ」であり、「チッソは私である」。この結論に到達した後に著者は、「がんじがらめの世の中で人間が解放される可能性」を、患者や組織の一員から「個」に戻り、さらに「人間」を「創造」していくことに見出している。

以上のような、支配の構造に気づき、そこからの解放を希求するという過程、そこで著者の思考や行動は、そのままアナキズムとして「読む」ことができる。したがって、本書は最良のアナキズム入門書の一つなのである。

（たなか・ひかる　明治大学法学部教員、社会思想史）

◆河出文庫（二〇二〇）。初版は葦書房（二〇〇一）。

◇緒方正人（一九五三年生まれ）　熊本県芦北町女島生まれの漁師。患者として水俣病患者認定運動を牽引したが、のちに認定申請を取り下げる。一九八七年、木造の舟「常世の舟」で水俣まで舟を漕ぎ、チッソ正門前で座り込みを行う。一九九四年、石牟礼道子らと「本願の会」を結成。他の著書に『常世の舟を漕ぎて――水俣病私史』（世織書房）など。

シャーロット・ブロンテ『ジェイン・エア』

秩序への反抗と自由を求める主人公の生き方を読む

山本明代

抑圧的な社会秩序と支配・従属的な人間関係、それによる経済的機会の限定などの要因によって生きづらさを抱えながらもそこから脱出しようとする人々の試みは、歴史を越えて、フィクションの世界にも見つけることができる。本書が描く主人公ジェインの苦しみは、一七〇年以上もの時代を越えて、現代の若者や女性たちのこころの叫びと驚くほど似ている。岩波文庫では上下巻二冊の長編であるが、翻訳が読みやすく、数々のドラマティックな展開も相まって一気に読み進めることができる。

本書は、一八四七年にイギリスで出版されると間もなくベストセラーとなり、以来、世界中の人々に愛読され、これまでに様々な読み方がされてきた。フェミニズムの観点からは、女性が夫や父親の所有物として扱われたヴィクトリア朝時代に自立を求めた女性の物語として読まれてきた。ポストコロニアルの視点からは、ジャマイカ出身の狂人として描かれる女性がジェインの分身であるという解釈が示されている。またガヴァネス（家庭教師）となったジェインが雇用者に対して自らを奴隷として例えつつ、それに抗う場面から有産階級と労働者階級間の闘争をみる読み方もある。

ここでは、フェミニズムとポストコロニアル、階級に着目した読み方を包摂し交錯させる、アナキズム的な読みの可能性を探ってみよう。ジェインのアナキズム的な生き方は、なによりも権威や秩序に対する反抗とそこからの自由を求める姿にある。裕福なリード家で、その家族でも使用人でもない親戚の孤児として孤立した立場にあったジェインは、女主人から冷酷な仕打ちを受けて、反発と秩序に対する反抗心を育み、それを表現することで自らを保っていた。そしてガヴァネスとなったジェインは雇用者ロチェスターに対して、雇用者の傲慢さは自由の身に生まれた者にとっては受け入れがたいと精神的に従属することを拒否した。また物語の終盤に牧師のいとこの求婚に対して、ジェインはそれに同意するのは彼女の権利であると述べながらも断固として断り、自由を求めて生きることへの決意を表明している。

こうした境地に辿りついたのも、ジェインがリード家を追い出されてローウッド学院に入学して以来、数々の試練に遭っても、与えられた状況の中で自ら決断・行動する経験を積み重ねてきたからである。それまでジェインは中産階級であるという自負心から労働者階級とは一線を引いていたが、労働者階級の子どもたちに読み書きを教える村の学校の職に就いたことで自立の糧を得て、階級を越えて自らの世界を開くことができた。こうした経験を経て、ジェインは父権的な支配欲によって彼女を拘束しようとする牧師からの求婚をきっぱりと拒否した。同時にそのことは、植民地への布教によって本国では満たすことができない牧師の野望を伴侶として共に充足すること、つまり帝国による植民地支配の共犯者となることへの拒絶をも意味していた。

ジェインの言動に見られるアナキズム的特徴の二点目は、社会秩序から距離をおき、自らを守るオートノミー（自律）空間を創ろうとする姿である。それが特に表れているのは、ロチェスターの邸宅での貴族たちが集まったパーティーの場面である。ジェインは貴族たちから屈辱を受けないために、カーテンに半ば隠れて自らを守る空間を作って編み物をした。そしてロチェスターと言葉を交わす時には、卑屈にならずに、たしなみのある穏やかさを保っていれば優位に立てると考えていた。ジェインがこうした行動を取ることができたのは、それまでの過酷な経験の中で権威に同調しないオートノミーを創り出す方法を身に付けたからであろう。

ジェインのアナキズム的特徴の三点目は、人との関係の結び方とそのライフスタイルである。ローウッド学院で友人や信頼できる教師との出会いを経験したことにより、ジェインはロチェスターの邸宅を出てさまよった末に牧師館の姉妹に受け入れられると、その姉妹との間で水平的な関係であるシスターフッドを育んだ。その姉妹には後に受け取った遺産を分けて、ガヴァネスの職から彼女たちを解放し、絵画や編み物といった創造的なアートを楽しむライフスタイルを分かち合った。ジェインが姉妹の兄の求婚を断り、別の相手と結ばれたことを姉妹が心より祝福したことは、「自由に偽りなく生きる」友への連帯の声であった。

（やまもと・あきよ　名古屋市立大学教員、西洋史）

◆岩波文庫（上下巻、河島弘美訳、二〇一三）。ほかに吉田健一訳（集英社文庫）、小池滋訳（みすず書房）、小尾芙佐訳（光文社古典新訳文庫）などがある。

◇シャーロット・ブロンテ（Charlotte Brontë　一八一六—一八五五）イギリスの小説家。ブロンテ三姉妹の長姉。他の著書に自伝的小説『ヴィレット』などがある。三姉妹の作品を集めた『ブロンテ全集』（全12巻、みすず書房）のほか、『シャーロット・ブロンテ書簡全集／註解』（全3巻、彩流社）、『ブロンテ姉妹エッセイ全集：ベルジャン・エッセイズ』（彩流社）がある。

言葉を取り戻す

永野三智

こどもの頃、自分の心を一番落ち着かせられるのは、ある水俣病患者の家だった。いつでも困ったひとが集まって、混沌としながらも自由な空気のその家が、私たちこどものたまり場だった。その家のおばあさんは、私が生まれたときには亡くなっていたが、狂騒状態になると着物の前をはだけて、おめき（叫び）ながら集落をされく（さまよいあるく）ため、地域で「ガゴ」（化け物）と呼ばれた。狂いながらふっと我に返る瞬間に相手が自分を見つめる目のことを、おばあさんは「馬鹿のふりすりゃ人間の本当が見ゆる」と言っていたそうだ。

小学校の高学年以降、水俣の外に出たときに自分が特別な目で見られることを知った。私には暴力に思えた蔑みの言葉をわけも分からず受け取った。中学卒業後に実家を離れてからは、水俣を捨てる気持ちで出身を隠した。水俣病から逃げおおそう、逃げおおせると思っていた二十歳の頃、こどもの頃の書道の師が裁判をしていると聞いた。師は相手が棘だらけでもいとわずに抱きしめるようなひとで、棘だらけだった私には、愛された記憶しかない。

裁判では、先生のお母さんのことが語られた。お母さんは水俣病を発症し、認定申請をしたが、三年後、亡くなられた。先生が申請を継承し、審査を求めるも無視され続け、申請から二十一年後に棄却をされた。大好きな先生がそんなに理不尽な状況で、苦しい思いをさせられていたなんて！　自分が出身を隠している負い目も忘れ、私は怒った。

怒りながら周りを見回すと、そこに突然故郷が現れた。幼い頃から見知ったひと、ひと、ひと。地元にいるときはタブーの「水俣病」、水俣病とは何の関係もない、ただそこに生きているもの同士だと思っていたひとびとが、あふれるように自身や家族の水俣病被害を語る。そのことが衝撃だった。そして同時に、不思議な開放感を得た。

ここにいるときは、「鹿児島出身」と嘘をつかなくて済む。

裁判のなかで私は、私たちの地域だけの、小さな小さな問題だと思っていたこの事件が、国家レベルの犯罪だと知った。水俣の海はもう、百年近く前からチッソによって汚染され、その中で大量虐殺が行われた。何度も状況を変える機会はあったのに、そのたびに棄てられた不知火海《しらぬい》のひとびと。そして、「知らない」ことで加害の側に加担する自分を見た。

職歴も学歴もない若年出産をしたひとり親として、貧困を抱え社会のなかで息苦しさを覚える自分と、見棄てられた水俣病の患者たちもリンクした。水俣を通じていろんなひとと出会うと、あってはいけないことだけど、似た構造の出来事が、どこでもかしこでも起きていた。

ところで五年前、水俣市立水俣病資料館の展示リニューアルが行われた。中心になってパネルの企画を行ったのは熊本県職員、実際にパネルを制作したのは東京の業者だった。市職員も含めて水俣市民は蚊帳の外。私たちは水俣病に触れぬまま、私たちの水俣病を忘れ去っていくのだろうか。

熊本県下の公立学校で行われる水俣病教育で徹底的に刷り込まれるのは、今も昔も「差別」や「分断」だ。判で押したように水俣病が発生した当初に患者が伝染病と言われて忌避されたこと、水俣市民から患者へ、地域外での水俣出身者への差別事案が教えられる。ときどきそこに、いじめや、ゴミ問題が付け加えられる。

そこには原因企業のチッソは現れないし、原因を放置した行政の存在もない。地域間の揉め事として収めるほうが自分たちにその矛先が向かないのだから、行政にとっては都合が良いだろう。

いまだにチッソに精神的経済的に依存する市民が多い水俣では、水俣病はタブーとして扱われ、おとなが語りたくないことは、こどもたちには継承されない。

きっと、水俣を生きたひとびとは、今の私とおんなじように、語りたいことがたくさんあったに違いない。そのチャンスを奪われ、言葉を発する機会を与えられないまま、水俣の時は流れていったのだろう。チッソが水俣にやってきて、海を汚染し始めてからのこの百年、いったいどれだけの言葉が奪われたことだろう。

この紙面では書ききれないが、数年前、自分の言葉を得たと思ったときに、奪われた。またも行政から。今はまた、自分の言葉を取り戻している途中だ。

もう二度と、奪われまいと、考えて、語って、書く。今まで奪われ死んでいったひとたちの分まで書いて書く。私の言葉は私のものだ。

（ながの・みち　水俣病センター相思社常務理事）

アナキズムの言葉

戸田三三冬《みさと》

アナキズムとは、自分自身の自治（自分自身にうそをつかず、自分自身との対話、周囲との対話のなかで、自分の運命を決める）と、こうした一人ひとりの自治の連帯のうえに成立する集団の自治、さらに、それを尊重する「自治の連合」で成り立つ。この連合は無限大に広がる「自由連合」となり、国家も国家間の関係もこの無限大の人びととの連帯の前には、ついに解消してしまう。

戸田三三冬『平和学と歴史学——アナキズムの可能性』（三元社、二〇二〇年）

2

極私的アナキズム入門

もう一つの生き方を探る

この世の中が息苦しいとすれば、私たちはどう生きたらいいのか。歴史物語から小説、エッセイ、活動記録まで、抑圧や差別と闘う姿が描かれた各筆者選りすぐりの本から、自分らしい生き方を探る。

石牟礼道子『完本 春の城』

だんだん地《つち》に降りてゆく、ますます不穏になってゆく

姜信子

まずは石牟礼道子が『苦海浄土』に刻んだこの言葉。「私の故郷にいまだに立ち迷っている死霊や生霊の言葉を階級の言語と心得ている私は、わたしのアニミズムとプレアニミズムを調合して、近代への呪術師とならねばならぬ」。

鳥獣虫魚草木あらゆる命とのつながりの中に人もある、あらゆる命にカミが宿っている、そんな原初の世界観を「プレアニミズム」と呼び、無数の小さき命が息づく水俣の渚の豊饒なる世界から「わたしのアニミズム」を呼び出した石牟礼道子が対峙する近代とは、たとえば、昭和三十四年に加害企業の窒素（現チッソ）が国家権力と結託して水俣病患者互助会に「見舞金契約」をのませるような恥知らずの近代です。

「水俣病患者の、子供のいのち年間三万円、大人のいのち年間十万円、死者のいのち三十万円」

欲望を膨らませつづけて、命をその錬金術の資源として、おのれより弱きもの小さきものの命を食い物にして買いたたいて踏みにじる、それこそが近代精神の発露、権力の証しでもあるかのように、堂々と、力まかせに、居丈高に命を選別し、分断し、値踏みする。

こんな情けない世の真っ只中で、石牟礼道子が近代の彼方、無数の命が命のままに存在する「もう一つのこの世」を語るならば、それは必然的に近代そのものを根底からひっくり返す不穏な声になるほかはありますまい。近代によみがえるアニミズムは必然的にアナキズムとなる。アナキズムの核には「命」がある。それが『苦海浄土』の教え。私にとっての「アナキズム」の出発点です。

そして、アニミズムはいかにしてアナキズムとなるか、それを〝天草・島原の乱〟をとおして見事に描いているのが『春の城』という物語なのです。もちろん、そこには水俣の受難が隠し絵のように潜んでいる。

民から生きる糧を根こそぎ奪う過酷な領主がいました。代官は年貢を納められずにいる者たちへの見せしめに罪なき者を責め殺します。このままでは生きていけぬと島原・天草の領民が立ち上がる。そのほとんどが切支丹。人々は

天草四郎という名で後世に知られる少年の下に結集し、原城（＝春の城）に籠城して幕府軍と闘う。

　そう、闘いの物語のはずなんです。ところが、『春の城』で際立って印象的なのは、命をつなぐ食の風景が実にこまやかに描かれていること。その風景の真ん中には、無名の「土より生れ出た者」たちの生き生きとした姿があります。

　彼らは虫のように地を這い、土を耕し、生きる糧をみずからの手で作る者です。「顔を見たこともない殿さまや、代官所の役人たちがどのくらいの人間だか知らぬが、わが身を使って働いたことのない者が、百姓の丹精しあげた作物を、紙切れ一枚で取り上げようなどとは、とんでもない心得ちがいだ」と思う者たちです。酒の泡立つ音にも、虫の音にも生きて在ることのカミへの感謝を聞き、風土の色に染められた観音様やマリア様の慈悲の心に手を合わせる者たちです。そこには土に生き渚に生きる日々の営みがあり、豊饒なる命のざわめきがあり、祈りがある。それが踏みにじられ、インヘルノ（地獄）そのものとなったこの世から、彼らはパライソ（天国）という「もう一つのこの世」への脱出を企てるのです。

　しかも、その企ての象徴とされた四郎は、ローマの権威を疑い、一方で「土より生れ出た者」の姿に打たれて「おのれを育てし土を知らぬ盲者にござり申す」とみずからの無知を恥じる少年です。乱を率いる者たちのうちにもまた、「土より生れ出た者」の生きざまに触れて、「この世において、はかり難く巨きなものと、ごくごく小さなものは等格であり、ともに畏れ敬うべきである」「キリシト様の教えらるるへりくだりの心を、さらに深めて生きて来た百姓女が静かな威厳にみちてここにいる」と思いいたる者がいる。高みにあって地《つち》を知らず、土より生れ出る命のありように疎かった者たちが、生きるための闘いの中で、だんだん地に降りてゆく。低きところに集い、寄り添い、つながりあい、ますます不穏になってゆく。見事に服従しない命になってゆく。無惨に踏みにじられるほどに、生きとし生けるあらゆる命と共にあろうとする者たちの胸にますます煌々と燃え上がる狼火。これが『春の城』のアナキズムです。

　その狼火は、「降りてゆく地」も「豊饒なる渚」も恥知らずな連中に根こそぎ奪われゆくばかりのこの困難な時代にあって、ますます眩く、ますます尊い命の炎なのです。

（きょう・のぶこ　作家）

◆本書は新聞連載の小説「春の城」をまとめた『アニマの鳥』（筑摩書房、一九九九）に、同じく新聞連載の取材紀行「草の道」をまとめた『煤の中のマリア』（平凡社、二〇〇一）を併せ、『完本　春の城』として藤原書店から二〇一七年に刊行された。

◇石牟礼道子（一九二七―二〇一八）　熊本・天草に生まれ、水俣に生きた詩人・作家。一九六九年に刊行された『苦海浄土　わが水俣病』（講談社）は代表作。講談社文庫（新装版）河出書房新社（世界文学全集、藤原書店（全三部）で読むことができる。ほかに『西南役伝説』（講談社文芸文庫）、『十六夜橋』（ちくま文庫）、『水はみどろの宮』（福音館文庫）など。全集（全十七巻・別巻一）は藤原書店刊。

中村きい子『女と刀』

日本の土手っ腹を射抜く本

斎藤真理子

「――刀のひとふりの重さほどもないおまえさまと、もはや共に生きるというのぞみは、いかように考え直そうとしても、もちえもさぬ――」。

　小説『女と刀』の主人公・権領司《ごんりょうじ》キヲは、五十年連れ添った夫にそう言い渡して離婚する。キヲは、著者の中村きい子が自分の母をモデルとして作り上げた人物だ。離婚したのが一九五一年で、キヲは七十歳という設定だから、今の話としても平凡ではないが、当時としては超破格だ。しかも、財産はすべて夫のもとへ置いて出たので、翌日から肉体労働に出て「おのれの骨をわりわりとけずるような難儀な日々」を送らなくてはならない。それでも「こうすることでわたしはわたしの世というものを生きてみたかったのである」とキヲは言い放つ。

　ひょっとしたらキヲは、日本文学史上最強のヒロインではないだろうか。二十代で初めてこの小説を読んだとき、ちょっとくらくらしたことを覚えている。「一思いに」という言葉があるが、『女と刀』は「一思い」の力がすみずみまで行きわたった作品だ。また、命中することを狙って書かれ、それが見事に命中した本である。何に、誰に、命中しているかといえば、明治・大正・昭和を貫く日本に命中しているのであり、一方では読む人一人ひとりにも正面から命中する。だからこれを読んだ人はみな一度死ななければならない。

　キヲは、著者が自分の母をモデルとして作り上げた人物だ。キヲは薩摩の下級士族の家に生まれ、父に厳しく躾けられた。暮らしの貧しさに比例するかのように、彼らの気ぐらいは高い。しかし女子がいくら鋼のように強い心を育てても、いずれは親の決めた結婚という世のしきたりに従わなくてはならない。そしてキヲの個性の強烈さは、たとえしきたりは受け入れても、とことん心の底の見える対話を持ちたいと激しく望むところにある。だが、夫とはまったく対話ができないまま五十年が過ぎ、その間に日本は日露戦争、日中戦争、太平洋戦争を経験する。キヲは八人の子を産み、病気と戦争でそのうち三人を失い、日本がアメリカに敗北するのを見届けた果てに、労働を嫌い女を見くびり、生きる手応えを持たない夫に「ひとふりの刀の重さほども値しない男よ」と告げるのだ。

キヲは徹底して波風を立てる人、ことを荒立てる人だ。だが彼女にとっては、我を通すことが目的なのではない。対話をまっとうすることが生きることなのだ。父に向けては、あなたが身分によりかかって保っている自分の中身はいったい何なのかを問い、母に向けては、女には絶望しか残されていないのかと問う。キヲは決して、答えの正誤を判断しようとしない。相手が、一生をかけて考えた答えを自分にくれるかどうかを見ているのだ。そして、自分がもらった答えの中身を吟味しながら生き、周囲の人々と分かち合っていく。そのクライマックスが、タイトルの通り、女と刀との間で交わされる対話なのである。

自分の息子が、えこひいきする先生に対抗して級友とともにストライキを始めたとき、キヲが教えたのは、教師を追い出して終わりにせず、「なぜ、差別をしたのか」その確かな答えを相手から引き出すことだった。権力に膝詰めで権力自身の言葉を引き出そうとする、対話を中心に置く生き方を突き詰めていくと、「神さえも私のためにあるのでなければならぬ」という思想に至り、また第二次大戦下においても「このいくさは私のいくさではない」という認識が生まれる。そして、徴用でお国のために尽くしたいと言う娘に対して、「そこまで言うのなら私がお前を斬る」と刀を振り上げるところまで徹底する。

ここにあるのは、「わたくしとの対話を拒むものの言葉に、なぜ従わねばならないか」という強い意志だ。それを終始貫き通せる人などほとんどいない、だから誰もがこの本に命中されて、一度死ぬのである。だが、多くの人に、そうしてみたいという憧れがあるのではないだろうか。

書かれてから半世紀以上経った本だ。しかし「ことに女は死ぬまで『家』というものがもたらす『きまり』とのいくさじゃ」というキヲの言葉は、いまだに男女別姓すら認めようとしない日本の土手っ腹を今でも射抜いている。たった一人であらゆる世の決まりに立ち向かい、同時に対話によってその精神を分かち合おうとするキヲ。「極私的アナキズム入門」と聞いたときこの本を真っ先に思い出したのはこの、抵抗の芯にある対話への強い意志のためだったのだろうと、再読して思った。

（さいとう・まりこ　翻訳者）

◆初出は『思想の科学』一九六四年四月号〜一九六五年十二月号。単行本は光文社（一九六六）、講談社文庫（一九七六）、思想の科学社（一九八八）。ちくま文庫より二〇二一年春復刊予定。一九六七年、木下恵介、山田太一の脚本でドラマ化された。

◇中村きい子（一九二八―一九九六）　鹿児島県出身の小説家。谷川雁、上野英信、森崎和江らが中心となり一九五八年に創刊された『サークル村』に参加。小説『女と刀』で田村俊子賞を受賞。他に『わがの仕事』（思想の科学社）。

辻潤『絶望の書・ですぺら』

社会道徳や先入観を排し、自由な生を肯定する思想

金子 遊

一般的にいえば、辻潤（一八八四―一九四四）は、明治期から戦前の時代を生きた文士であり、ダダイストである。一方で、同時代のアナキストたちと親交があり、彼の自我主義的で虚無的な思想には、アナキズムと一脈通ずるところもあった。

浅草の裕福な家に生まれた辻潤であったが、次第に家運は傾き、十九歳で尋常高等小学校の教員として働きだした。女学校の英語教師をしていた二十八歳のとき、教え子だった伊藤野枝と恋愛関係になって学校を追われる。この時期に、犯罪人類学の祖とされるチェーザレ・ロンブローゾの『天才論』を翻訳している。野枝と結婚して二児をもうけたが、ほどなくして野枝が家を出て、夫妻の知人であったアナキストの大杉栄と同棲するようになった。辻は僧坊や知りあいの下宿に居候したり、金を無心したりしながら、原稿を書きつづける浮浪生活をはじめた。大逆事件のあとに、大杉と野枝は憲兵隊によって虐殺されてしまった。辻の半生を振りかえるだけで、その思想形成に影響を与えたであろう事件には事欠かない。とはいえ、世間で良しとされるあらゆる価値を退け、ひたすら自己の欲望に忠実であろうとした辻の姿勢は、こうした伝記的なできごとだけでは説明がつかない。

「僕はできるなら国籍を抜きたい、どこの国の人間にもなりたくない。自分以外の権威の影響なしに暮らしたい。そのためには乞食か浮浪人になるしかない」と辻潤はエッセイに書いたので、その生活スタイルは意志的なものだった（「浮浪漫語」）。ドイツの哲学者マックス・シュティルナーが書いた『唯一神とその所有』を、辻は『自我経』というタイトルで訳出している。その精読から導きだされた理想は、誰かが誰かを支配や命令することなく、人がもって生まれた性情のままに生き、「相互の「わがまま」を認めて許し合う」ような社会であった（「自分だけの世界」）。国家、政府、宗教、道徳などの権威を一切みとめず、自分の尺度だけで生きるべきだとする態度は十分にアナーキーであり、現代人のあり方を先どりしてもいて、人生論としていま読

まれるべき本にも思える。

　この考えをもっと抽象的な議論に発展させるとどうなるか。自由、正義、真理、善といった価値基準も、何ら普遍的なものではなく、人間がつくりだした空疎な言葉にすぎない。しかし、その言葉を生みだした当の人間たちが、その幻影にとり憑かれた奴隷となっている。これらの幻影を享楽するためには、一度、すべての価値に対して幻滅したうえで、幻影を自由に獲得したり捨て去ることのできる「自由」を手に入れる必要がある（「「自由」という言葉」）。このようにニーチェ的なニヒリズムを通過してから、いま一度、辻潤は現実の日本社会に暮らす自分をかえりみる。すると、この国の仏教や儒教や社会道徳が、人びとに他人の前でものを食べることを恥じさせ、官能的な欲望を満たすことに後ろめたさを感じさせ、ずっと人間の肉体を侮蔑してきたことが見えてくる。その反対に、辻にとって「人生にもし目的があるすれば、それはこの生を各自が出来るだけ享楽せよという以外にはなにものもない」（「享楽の意義」）。カオスのなかから偶然に生を受けたものが、よけいな先入観を排し、みずからの欲望と身体を充溢させることをうながす、生命を肯定する思想がひとつの到達点であった。

　しかし、辻潤が生きた戦前の時代に、そのような自由が世間的に許されていたとは言いがたい。三十代から四十代後半までは文筆で生きるために、新聞や文芸誌などに文章を書きまくり、新聞社の特派員としてパリに長期滞在もした。しかし、酒に依存する性質もあって、一九三〇年代に入ると精神病による奇行が目立つようになる。錯乱状態で警察に保護され、脳病院に送られることもしばしばだった。晩年は原稿もあまり書かなくなり、虚無僧の姿で日本じゅうを流浪した。人生の唯一の救いは「今から百年も経てば、現在地上に蠢動している生物、少なくとも人間はみんな消えてなくなってしまうこと」であると辻は書いた（「にひるの漚《あわ》」）。極端なまでに自我主義を押しすすめた思想は、いったん生きていく気力を失えば、現世に執着しない境地へと結びつきやすかったのだろうか。辻が東京のアパートでひとり餓死しているところを発見されたのは、太平洋戦争で日本が降伏する一年前のことだった。

（かねこ・ゆう　批評家、映像作家）

◆講談社文芸文庫（一九九九）。本書は『浮浪漫語』（下出書店、一九二二）、『ですぺら』（新作社、一九二四）、『絶望の書』（萬里閣書房、一九三〇）等の単行本と未収録エッセイ等を収めたオリジナル編集。

◇辻潤（一八八四－一九四四）　翻訳家、思想家。他の著書に『痴人の独語』（書物展望社）、訳書に『阿片溺愛者の告白』『一青年の告白』など。全集は五月書房刊（全八巻、別巻一）。

伊藤洋志『ナリワイをつくる――人生を盗まれない働き方』

個人の生活に自立の活力を取り戻す

寺尾紗穂

もう六、七年前のことだが、「これからは床張りではないだろうか」と感じた出来事があった。録音をいつもお願いするエンジニアが、小さなスタジオを作ったというので浅草方面まで行ってみると、印刷所の二階のスペースの床が張り直されており、録音機材が所狭しと配置されていた。知人と二人でＤＩＹでやったのだという。東東京はそんな物件が増えていて、同世代の知り合いもそちら側に拠点を持つ人がぽつぽつ現れていた。

家賃の安いぼろぼろのスペースも床を張り直すと、古さを楽しめるそれなりの空間になる。協力してくれる仲間さえいたら、固定費を下げるいいきっかけになる。その晩、床張りのことをネットで調べてみると「全国床張り協会」なる団体のＨＰをみつけた。あちこちで床張りワークショップもやっている。代表は伊藤洋志。実は、近しい知人たちの友人でもあるとすぐに気づいた。

その四年後、私は彼が主催する「モンゴル武者修行」に小学生の娘三人を連れて参加した。滞在中はひたすら馬に乗り続け、娘たちも自分の馬に乗り、広大な風景の中を馬と駆けぬける経験を満喫した。

その伊藤氏の著書『ナリワイをつくる――人生を盗まれない働き方』（東京書籍、以下『ナリワイ』）に満ちているマインドは、現在の資本主義社会に順応して生きることへの疑問符に満ちており、アナキズムの範疇に入ってくる。既存の組織や生き方と距離を置き、自分自身の興味や才能をどう生かせるのかを考え、小さな仕事「ナリワイ」をいくつも作っていくことを薦めている。アナキストにはコミューンに集う人々も含められることがあるようだが、伊藤さんには集団化の考えはあまりない。あくまで個人として動き、結果的に沢山の人とつながりあうところが現代的であると思う。

伊藤さんは、大規模に人々を煽動して都市空間を占拠したりはしない。けれど、例えばこつこつと全国各地で床張りワークショップをしていくことで、普通なら「住めない」とみなされ借り手のつかない賃貸物件に住む猛者や、壊すことのできないまま何となく持ち主が放置してしまっている古い民家などの再生の担い手を着実に増やしている。和歌山でみかんを収穫していたかと思えば、山形でサクランボ農家の収穫を手伝い、これらを通信販売で期間を決めてがんがん売っていく。顧客は彼の仲間が多いと思われるが、減農薬の果実の美味しさが口コミで広まったり、彼自身動き続けるからこそ知り合い自体が増えて、購入者も増えるだろう。知り合いであるからこそ、毎年恒例のイベントを見守るような連帯感が生まれ、購買に繋がっていくようにも思える。

彼のやり方は、まずは「自分が楽しんで」「ゆるく継続的に」「次第に仲間を増やす」といった特徴があり、その姿を見ていると、常識の枠から出てしまえば、その人にとって必要なものは、環境も含めて自分たちの働きかけや工夫で作り出せるのかもしれない、という気持ちになる。ちなみに私が参加した「モンゴル武者修行」も、彼自身が参加したいと思えるツアーがなかったことが、ツアーを作ったきっかけだという。「必要は発明の母」を地で行く人だ。

伊藤氏の「ナリワイ」の発想の師は「月三万円ビジネス」の提唱者でもあった、那須非電化工房の藤村靖之氏だ。非電化冷蔵庫の発明などでも知られる。沢山のお金を稼ぎ、沢山のお金を使う時代は終わりを迎えつつあり、老後いかにすくない年金で生きていくか、といった本が注目を集めている。お金が稼げないなら生活を変えて工夫する。電気代が上がるなら、電気使用量を下げる。すべて縮小の方向へ向かう。国家として出てくる成長率はこのまま下がるのかもしれない。しかし、人々の生活は反対に豊かさを取り戻すだろう。

ゆっくりと国家という器を弱体化・無力化させ、個人の生活に自立の活力を取り戻すという意味で、伊藤氏や藤村氏のような活動が実は最もアナーキーではないだろうか。

（てらお・さほ　音楽家、文筆家）

◆初版は東京書籍（二〇一二）。のちに読者からの質問への答えを増補し、ちくま文庫（二〇一七）で刊行。

◇伊藤洋志（一九七九年生まれ）　新たなスタイルの自営業の実践と研究や、生活文化を探求する活動に取り組む。京都大学大学院農学研究科森林科学専攻修士課程修了。他の著書に『イドコロをつくる――乱世で正気を失わないための暮らし方』（東京書籍）など。https://nariwaibook.tumblr.com

まつろわぬ者たちの物語に民衆的な美の想像力を読む

竹中労（著）／かわぐちかいじ（画）『黒旗水滸伝——大正地獄篇』

東琢磨

竹中労は「ルポライター」という造語の作り手として知られている。広範な領域の仕事があるが、中国新聞記者で後に広島市長となる平岡敬との共編で朝鮮人被爆者・在韓被爆者に関しての著作もあれば、「復帰」前後のヤマトに沖縄民謡を導入することに奔走したりもしている。その竹中が、劇画家・かわぐちかいじと組んで放ったのが『黒旗水滸伝　大正地獄篇』だ。大杉栄をはじめとした「無政府主義者」たちやその周辺の人びとを描いたこの「劇画」には、竹中ならではの仕掛けがいくつもある。

まず、この作品は、現代、つまりこの作品が書かれた一九七〇年代の沖縄から始まる。天災から疫病の蔓延へと状況が悪化していく沖縄県を中央が見捨てるというある種のポリティカル・フィクションとしてスタートするのだ。この設定自体は、実はある種の時代の空気でもあっただろう。この国を問わず、多くの今でいうエンタメ作品が、反国家あるいは国家への不信を基調音としていた時代でもあった。

ただ、それだけではなく、竹中の「アナーキズム」が正史で扱わないものたちを掬い上げ、かつ、「美的放浪者」たちの群像であること、言い換えれば、存在のアナーキーとしての、竹中的な美学＝政治学である。「黒旗／水滸伝」として描かれていることから「（現代）沖縄」から始まるのは、竹中としては譲れない視角であったというべきだ。

中国古典小説としての『水滸伝』の背景には、中国的な伝奇＝歴史、あるいは物語＝歴史という思考がある。それを踏襲しつつ、まつろわぬ者たちの物語として『黒旗水滸伝』は書かれている。また、対抗的であるにしろナショナリズムから距離をとるかのように、朝鮮や沖縄が交錯してくる。さらに、民衆的な美の想像力をアナーキズムの重要な構成要素としたことには、大杉栄の「生の拡充」などの著作への竹中なりの応答を見ることも可能だ。

竹中は、自身と沖縄の関係性のなかで、自らを「チョンダラー（京太郎）」と見立てる。「京太郎」にはもちろん夢野京太郎も紛れ込んでいるが、京太郎は、傀儡子のことだ。本土との中近世関係史において、踊念仏・盆踊りなどの仏教芸能と沖縄のエイサーやカチャーシーの関係は、主に袋中上人（一五五二―一六三九）を主なアクターとしての解明が進み、近年ではある種、袋中中心主義のような語りすら形成されている。興味深いのは、この現在の福島県いわき辺りの出身の僧侶を中心とした踊念仏は、東北・関東に偏在するかたちで残存し、原発事故後の抗議運動でもその姿を現したことだ。一方で、では、日本と沖縄の芸能史において、「袋中中心主義」的な、一人の重要なアクターだけで解明できるのかというと、やはり疑問が残る。チョンダラー／京太郎／傀儡。この芸能は現在の沖縄では（本土でも）ほぼ消滅している。浄瑠璃や文楽といった発展形は残存しているが、これも「古典芸能」のフレームのなかにある。

竹中の傀儡が興味深いのは、彼自身は、ヤマトから渡った被差別の芸能者としてのチョンダラー京太郎に自らを仮託していることだ。そこから、現時点にいる私たちが竹中のように考えるのであれば、この傀儡子たちには、台湾やベトナムなどから流れ着いた者たちが混在していたのではないかと夢想することの可能性へも開かれているように思うのだ。台湾では、布で手を入れた操り人形を布袋儀、木の操り人形を傀儡といい、ベトナムには水傀儡（水上を滑らせるようにして演じる）もある。東／南アジアという方位感覚を持って、沖縄の、あるいは沖縄をめぐる、開かれた民衆文化・関係誌／史に向かう時の、最近の私の基本的な構え、想像力の源泉のようになっている。

竹中の『黒旗水滸伝』を丸ごと鵜呑みにしろなどいう気は毛頭ない。あくまで一つのアナーキズム論的な娯楽作品として読むべきだろう。ただ、現在、この作品あるいは竹中労を敷衍していく際に添わせてみるといい書物は少なくない。本書でも紹介されているデヴィッド・グレーバーやジェームズ・スコットの著作（スコットの著作では『ゾミア――脱国家の世界史』［佐藤仁監訳、みすず書房、二〇一三］がいいかもしれない）、あるいは、サンドロ・メッザードラ『逃走の権利――移民、シティズンシップ、グローバル化』（北川眞也訳、以文社、二〇一五）、台湾の先住民作家で反原発運動にも関わるシャマン・ラポガン『大海に生きる夢――大海浮夢』（下村作次郎訳、草風館、二〇一七）など。「生の拡充」の無数な実践を結びつけていくことも、現在のアナーキズム的な生となるだろう。

（ひがし・たくま　全身アマチュア・パートタイム批評家）

◆皓星社（新装版全4巻、二〇一二）。初版は二〇〇〇年。

◇竹中労（一九三〇―一九九一）　ジャーナリスト、ルポライター。週刊誌『女性自身』記者を経て、評論、ルポルタージュ、小説など幅広い分野で活躍。著書に『琉歌幻視行――島うたの世界』（田畑書店）、『ルポライター事始』、『断影 大杉栄』（ともにちくま文庫）など多数。

かわぐちかいじ（一九四八年生まれ）　漫画家。主な作品に『黒い太陽』（トラスト・ツー）、『テロルの系譜――日本暗殺史』（ちくま文庫）、『沈黙の艦隊』（講談社）、『空母いぶき』（小学館）など。

赤瀬川原平『東京ミキサー計画――ハイレッド・センター直接行動の記録』

やはり何か「そういうこと」をしたいのです

真島一郎

個別の人名にものをいわせた歴史語りは、いずれ権威の列伝に帰着する。ならば、若き日の彼らが好奇心の虜となって半世紀以上も前にしかけた直接行動の記憶を、「歴史」ではなく不滅の強度として私たちがいま乗り継ぐにはどうすればよいだろう。

高松次郎、赤瀬川原平、中西夏之の「高」「赤」「中」をただ英語にして並べただけの前衛芸術集団ハイレッド・センターは、メンバーも活動期間も不確かなまま、都内に点々と出没しては刹那の鋭い痕跡を残しつつ、一九六〇年代前半からわずか数年の現代美術「史」を一気に駆けぬけた。

作品の発生ポイントが、美術館や画廊であれ、新橋や銀座の雑踏、山手線の車内や帝国ホテルの一室であれ、ひとえに彼らの行動は、人間の思考に居座る既成概念の権力失墜、とりわけ人の好奇心が惹きつけられる得体の知れない何事かを「芸術」と呼んでは台無しにする日常性の解体に向けられていた。「芸術」の称号を迂回するには、それが芸術だと目撃者に気づかれてはならない。美術館の制度を隔離するには、アトリエを街全体に拡げ、人々がとまどいながら「なにかそういうこと」を目撃する瞬間が欠かせない――そして「あ、あれは芸術じゃないか、そうだよやっぱり芸術だ、そう思ってピントをちゃんと合わせてみると、芸術はもう動いて見えなくなっている」。センターの面々もまた、隙間風のように現場から姿を消している。

思考の内側に巣食う概念化の権力を人間が進んでホーキ／放棄することは、同時にオブジェが主体として解放され、オブジェ自身によるホーキ／蜂起の可能性が開けることを意味している。そのときオブジェは、人間の意図などおかまいなしに、みずから生の空間を求めて動きだす。「絵画」の平面から三次元に飛び出し「美術館」を脱獄するオブジェは、そのまま街頭に繰り出し、電車や人体を乗り継いだあげく、法廷への闖入さえ企てるだろう。高松の紐、赤瀬川の梱包と模型紙幣、中西の洗濯バサミが、いずれも鑑賞者を媒介とした自由な増殖をとげては、作者・作品・社会の関係をたえず攪拌していくだろう。「この攪拌が物理的に完成すれば、アトリエ内部としての全東京都は高速に回転しながら渦を巻き」、作品以上に芸術のメカニスムそのものが街頭にさらされるだろう。しかもオブジェの叛乱を目撃する者には、「なにかそういうこと」に惑乱する自由と、オブジェに挑発された無法行為の自由が届けられるだろう。

ニセ札の使用価値を欠く――裏が白紙、表は一色刷の――模型千円札がついに司法空間へと侵入するや、「作者」の赤瀬川も否応なく法廷に召喚された。通貨及証券模造取締法違反容疑で起訴される彼には、一審で「懲役三月猶予一年、原銅版押収」の有罪判決が下される。だがこのとき法廷は、居並ぶオブジェが「ブツ＝物証」の閉域を逸脱し、自己のエネルギーを放散して無法をはたらく一大展覧会場と化すのだった――「[…] 梱包された扇風機にスイッチを入れると扇風機はマジメに首を振りはじめ、裁判の間ずーっと梱包した風を送っておりました […] 高松次郎の初期の黒い紐が伸びて行って、裁判官の壇上にまで上り込んでいます […] 柵にグニョグニョとからんだり、傍聴人の体にまでからんだりしています […] さて中西夏之の洗濯バサミです[…]ニイジマ君という青年の肉体がキャンバスです […] 暗黒舞踏志望の […] ニイジマ君の肉体 […] が法廷内を […] 洗濯バサミを群がらせたまま、ゆっくりと歩き回っているのです」。

一九六四年の東京オリンピック会期中、ハイレッド・センターは白衣にマスク、腕章の出立ちで銀座の街頭に現れ、祭典に迎合する社会と公権力を偏執的に模写した清掃アクション、「首都圏清掃整理促進運動」に乗りだしていた。当時の三人は、いまだ二十代後半。同時代のネオダダにせよ六〇年安保にせよ、運動の主体となったのは、このクニの敗戦による権力の崩壊とその間隙にのぞく「なんとも説明できないもの」の存在を、幼き日に烈しく体感してきた世代である。赤瀬川は六七年夏に、千円札裁判の費用捻出をかねた「表現の不自由」展も開催していた。戦禍ならぬ疫禍のもとで拝金の祭典と表現の不自由を糾す展示の季節がちょうど相次ぐように再来する今、人間の意図や理解をこえたオブジェ自身の無法をイマージュの鮮やかな蜂起へといかに繋げていけるかは、やはり何か「そういうこと」と私たち媒介者の手にこそかかっているのではないだろうか。

（まじま・いちろう　東京外国語大学教員、社会人類学）

◆ちくま文庫（一九九四）。初版はＰＡＲＣＯ出版局（一九八四）。
◇赤瀬川原平（一九三七―二〇一四）画家、作家。尾辻克彦の筆名をもつ。一九八一年『父が消えた』（尾辻克彦の筆名）で芥川賞を受賞。他の著書に『超芸術トマソン』『反芸術アンパン』『老人力』（いずれもちくま文庫）など多数。

のらりくらりの哲学

荻原魚雷

十九歳まで三重県鈴鹿市の工場の町の長屋に暮らしていた。社会に関心を抱くようになったのは、はじめから家がある人とない人がいるのか——だった。世の中は不平等だなと……。

一九八〇年代半ば、高校時代に反原発をはじめ、市民運動に参加するようになった。どこに行っても場のルールがわからず、人間関係がうまくいかず、無知を罵られ、自分は組織や集団には不向きだと悩んでいたころ、アナキズムを知った。最初に読んだのはアンリ・アルヴォンの『アナーキズム』(左近毅訳、文庫クセジュ、白水社、一九七二)だったか。古本屋のない町にいたのでアナキズムに関する文献を探すのも一苦労だった。もちろん周囲にアナキズムの話ができる知り合いもいなかった。

世の中の人がみな善人で思いやりの深い人ばかりなら、明日にでも理想社会は達成する。しかし永遠にそうならないところに人類の葛藤があり、矛盾がある。

個人の自由、生の拡充をつきつめていけば、かならずエゴとエゴとの対立は避けられない。どんな社会であってもエゴイスト、個人主義者はどうしても煙たがられる存在となるだろう。

その後、十九歳で上京したわたしは『評伝 辻潤』(三一書房、一九七一)などの著作で知られる玉川信明さんの読書会に参加した。その会合で隠遁、隠棲系のアナキズム——無政府個人主義などを学んだ。辻潤のように酒浸りの日々を送り、ふらふらと放浪し、どこにも属さず、個人として生きる。

十九、二十歳のころにそういう生き方を志した結果、大学を中退し、フリーターをしながら文章を書くようになった。

世の中には小さな子どもや老人や病人がいる。弱い人たちを包括しない正義はたぶん間違っている。元気な若者だったころの自分はそのことをわかっていなかった。

平穏な日々なんて退屈だとおもっていた。真面目で健康な人の正しさは、そうでない人には苦痛なことがけっこうあるのだ。

　プータロ時代、貧乏生活を送っているうちに、しだいに体制とか反体制とか保守とかリベラルとかどうでもよくなってしまった。それより何より世の中が変わるまでのあいだ、どうやって食っていけばいいのか。わたしは思想や哲学よりも生活術や処世術のようなものを学ぶ必要をおぼえた。

　二十代の終わりから三十代にかけて、金に困ってアナキズム文献もほとんど手放した。売った本は日々の食費や酒代になった。思想は血肉にならず、世のため人のためとはほど遠い自堕落な生活を送った。

　それから月日が流れ、中年以降、わたしは新居格《にいいたる》の本を読むようになった。戦中、生協の前身になる運動に尽力したり、戦後初の杉並区長もつとめた人物だ。彼の「或る日のサロンにて」（『生活の錆　随筆集』岡倉書房、一九三三）にこんな一節がある。

「『アナキズムは行動の哲学ではないか。だから、お前のやうなものはアナキストだとは云ひ得ないのだ』と云はれればそれも承認する外はない。ほんとうのアナキストでないとしてもそれは止むを得ない。私は私の性格が率きつけるアナキズムの思想に依然として附いて行くだけである」

新居格の随筆は、やる気のないおっさんの弱音や愚痴みたいな文章が多い。新居格は病弱で本ばかり読んでいたから、仲間うちからは「サロン・アナキスト」といわれることもあった。

　今のわたしもあまり行動せず、だらだらした日々を過ごしている。どう考えたって自分の考えが多数派に支持される日は来ない。かといって、一人一人の人間が何か一つの考え方に従う必要もない。思想なんてものは生まれた時代や環境で変わってくるし、そのときどきの暮らしぶりでもちがってくる。アナキズムについてもそれが正しいという前提に立たないことが重要だと考えている。仕事がなくても貧乏で失うものがあまりないときは過激な思想に傾きがちだし、それなりに生活が安定してくると大きな変革を望まなくなる。

　中年になり、気力や体力が減退するにつれ、政治や社会への関心も薄れつつある。賛否の分かれる論争もどこか他人事のような気分で眺めることが増えた。勝者が敗者を従わせる力学そのものから距離をとり、新居格のような散歩と読書の日々を送りたいという気分だ。それでも、ものが言えない空気には抗うつもりだし、意に沿わない強制には断固拒否とまではいかなくてものらりくらりと無視したいとおもっている。

（おぎはら・ぎょらい　文筆家）

アナキズムの言葉

大杉栄

そして生の拡充の中に生の至上の美を見る僕は、この反逆とこの破壊との中にのみ、今日生の至上の美を見る。征服の事実がその頂上に達した今日においては、諧調はもはや美ではない。美はただ乱調にある。諧調は偽りである。真はただ乱調にある。今や生の拡充はただ反逆によってのみ達せられる。新生活の創造、新社会の創造はただ反逆によるのみである。

大杉栄「生の拡充」(『近代思想』一九一三年七月号)
出典:『大杉栄評論集』(飛鳥井雅道編、岩波文庫)

3 アナキズムの夜明け

今に息づく思想の原点

アナキズムの思想と実践はいつ生まれ、どのような歴史をたどってきたのか。理想社会の実現をめざし、激動の時代を疾走した世界と日本のアナキストたちによる今こそ読むべき古典。

マックス・シュティルナー『唯一者とその所有』

個人主義的アナーキズムの先駆的著作

松尾隆佑

マックス・シュティルナーことヨハン・カスパー・シュミットは、ドイツ南東部のバイロイトに生まれた。幼くして実父を亡くし、母や自身の病により何度も中断した苦学ののちに教員資格を得たシュミットは、最初の妻との結婚・死別を経てベルリンの女学校に就職する。三十代半ばにさしかかっていた彼は、教師として働くかたわら、青年ヘーゲル派（ヘーゲル左派）と呼ばれる急進的な言論サークルに出入りするようになる。夜な夜な酒場で哲学的・政治的な激論を交わし、自身の立派なおでこ（Stirn）にちなんだ筆名を用いて何本かの書評や論説を公表した彼は、やがて主著となる本書を出版する。

『唯一者とその所有』はG・W・F・ヘーゲルの議論を暗黙の前提にした論争の書であり、ヘーゲル哲学に通じていない読者が逐一正確に理解することは難しい。しかし、錯綜した文章で挑発と罵倒を繰り返すシュティルナーのメッセージそのものはシンプルで、容易に読み取れる。本書の核心にあるのは、私たちはみなエゴイストであり、そのことを自覚した方がよいし、エゴイストでなくなるのはものすごく恐ろしいことだ、という主張である。

シュティルナーが言う「唯一者」は、誰もが自分だけの個性を持ったオンリーワンの存在である、などといった平板なお題目とは異なる。むしろ私たちは誰でも、人間である、男である、ドイツ人である、など他者と共通の属性を無数に挙げていけば究極的には説明できる、分解可能な要素を集めた存在にすぎないかもしれない。そうだとすれば、私たちは持っている要素（職業、身体的特徴、性格、食べ物の好みなど、何でもよい）の組み合わせが少しずつ違うだけで、要素の束に還元できない固有の性質など、誰も持っていないことになる。唯一者という呼び名は、そのように私たちが入れ替え可能な中身を持つ存在でしかなくても、要素の入れ物である個体の存在は要素を超え出ており、誰であれ形式的にはオンリーワンであることを意味している。

そしてシュティルナーは、唯一者として自己を所有（コントロール）し、自己の目的に従って生きる限りでは誰もがエゴイストであるとの立場から、神、国家、人類などといった抽象的な観念への囚われを批判する。これらの「精神」を崇拝することは、自己の目的を見失わせ、ひいては他者による支配を招いて自己の所有を危うくするからである。現実の個人への抑圧を生み出す「固定観念」に牙をむくシュティルナーは、キリスト教、専制政治、自由主義、社会主義など、全方位に攻撃を向ける。もっとも彼は、エゴイスト間の自発的協働関係としての「連合」を語りはしても、国家の転覆は目指さなかった。彼が求めたのは革命ではなく、個々のエゴイストが自己の所有を脅かすものに「反逆」しつづけることである。

シュティルナーの驚くべき徹底ぶりは、自己を「創造的無」と見なし、過去に囚われることなく「自ら解体してゆく自我」、絶えず自らを革新する「移ろいゆく自我」の姿を説くことで、抽象的自我を神聖視して固定観念にすることをも拒否した点に現われている。唯一者は、あくまで観念を超え出た個別的な現実として把握されるのである。彼の唱えたエゴイズムは時代を超えて適用できる普遍的な考え方であり、今もまったく意義を失っていない。

急進性を極めた本書はカール・マルクスを含む青年ヘーゲル派に激震を与え、後世にはフリードリヒ・ニーチェへの影響も取り沙汰されるようになるが、著者自身に世俗的な成功をもたらしたわけではない。出版に先立って職を辞したシュミットは、二人目の妻と牛乳屋を開業するも早々に失敗して経済的困窮に陥る。そして離婚し、借金のために二度も収監されるなど荒んだ生活の末、虫刺されがもとで熱病にかかり、命を落とす。史上まれに見る狂暴な書物を世に残した代償かのように、シュミットの生涯にはわずかな光しか射さなかった。

本書もすぐに忘れられたが、十九世紀末以降に再発見されると、個人主義的アナーキズムの先駆的著作として読み継がれるようになっていく。日本では辻潤が最大の紹介者であり、大杉栄も早くからシュティルナーに注目した。主な関連書には、大沢正道『個人主義』（青土社、一九八八）と、住吉雅美『哄笑するエゴイスト』（風行社、一九九七）がある。

（まつお・りゅうすけ　宮崎大学講師、政治学・政治理論）

◆現代思潮新社（新装版上下巻、片岡啓治訳、二〇一三）。辻潤による翻訳（『辻潤著作集6』オリオン出版社、一九七〇）のほか、岩波文庫（上下巻、草間平作訳、一九二九）などがある。原著は一八四四年刊。

◇マックス・シュティルナー（Max Stirner　一八〇六―一八五六）ドイツの哲学者。戦前はスチルネル、スティルネルと表記された。エゴイズムを徹底して追究した本書（『唯一者とその所有』）は没後約四十年を経て再評価され、アナキズムや実存主義に影響を与えた。

ピエール＝ジョゼフ・プルードン『貧困の哲学』

経済の矛盾を考察し軽やかな社会変革をめざす

斉藤悦則

プルードン（一八〇九―六五）は、貧しい生まれながら学問好きの印刷職人でした。二十七才で親方となり、印刷所を開きましたが、資金繰りに苦労し、共同経営者の自殺を機に店を閉じます。二十九才のとき、地元の奨学金でパリに出て、学問に励みます。そして、一八四〇年に出版した『所有とは何か』で一躍有名人になります。

まったくの無名人でしたが、かれの本はおもしろさで読書人にインパクトをあたえ、また「所有とは盗みである」というフレーズで世間に知られるようになりました。プルードンは、所有権を神聖不可侵とする側の論拠にのっとって所有を否定します。つまり、相手の武器をつかって相手を斬る、この技の見事さで読むひとをうならせました。

一八四六年に出した『貧困の哲学』は、内容がさらにすばらしい。この本、別名（というか本名）『経済の矛盾の体系』は、まさしく経済のいとなみがいずれも善（幸せで豊かな暮らし）をめざしながら悪（貧困）を生んでしまうという矛盾、その系列的な連鎖を流麗な文章で描きだします。

この世に矛盾があるから動きが生まれ、変化が生じ、進歩がつくりだされる。したがって、プルードンは社会を動態としてつかまえるためには、ものごとの内部の相反する二つの面をきちんと見つめることが必要だと考えます。ものごとの二面（善と悪、あるいは肯定面と否定面）の対立を、プルードンは矛盾と呼ぶより「アンチノミー」と呼びたがるのも大事な点です。それは二つの面がどちらも等しく存在理由があり、ともに必然であると言いたいからです。良い面だけを残して、悪い面のみを除去することはできない（マルクスはこれを誤解したうえでプルードン批判を展開した）。矛盾をなくせば永遠の幸せが訪れるという思想は怪しい、とプルードンは考えます。

アンチノミーの系列

経済の科学において、価値とは、もののありがたみのことですが、これにも使用価値と交換価値の対立がある。消費する側と生産する側では、もののありがたみの質が異なるわけです。これを出発点として、プルードンはアンチノミーを十段階で体系づけます。

人類は福祉の増大（幸せで豊かな暮らし）をめざして歩んでいきますが、そのための工夫がまず①分業です。しかし、分業は労働を細分化して、人間を愚鈍にする。②機械は、人間を動物的な労働から解放し、豊かさを増進させますが、しかし、人間を機械の奴隷にします。③競争は、労働に自由を回復させ、知性を活気づけます。しかし、心落ち着くことのない争いを生む。④独占は、競争の必然的な帰結であり、闘争のごほうびですが、他方の側の貧困を激化させる。⑤税金・警察・国家は、強者にたいする弱者の反発として存在理由があるが、しかし、現実においてはまっさきに貧乏人を痛めつける。

そして、⑥貿易は、貧困を国外への販路拡大で解決しようとするが、その希望はすぐに失望に変わる。⑦信用は、販路の保証をふたたび国内に向ける。動きの取れない価値をすべて流通可能にする。しかし、豊かさは数値が示すだけのものとなり、具体的な現実と関係がなくなる。⑧所有によって、人間は自然と結びつき、自分のアイデンティティをとりもどす。しかし、同時に反社会的となる。⑨共有（共産主義）によって、人は社会と結びつくが、創意工夫を失って貧困におちいる。⑩人口は、生殖によって増大し、働く人の手を増やし、豊かさをもたらすが、食う人の数を増やして貧困をまねく。

プチブル上等

このように経済の矛盾の連鎖は、生産と消費のアンチノミーに始まり、同じアンチノミーで円環を閉じます。だから、社会問題の解決は生産と消費のあいだで、すなわち交換・流通の面で行われねばならない、とプルードンは考えます。われわれのなすべきは、交換を公正化し、ものやカネが自由かつ豊富に流れるようにすることにつきる。つまり、生産にたいしても消費にたいしても強制力を発揮すべきではない、と言うのです。

労働者が小口融資をえて独立し、企業者（冒険者）となって活躍し、地域社会を盛り上げる。こうした思想はわたしたちに発想の転換を迫り、社会変革の営みを力みのない軽やかなものにします。自らによって律される自由、これがプルードンの革命理念の基礎なのです。


（さいとう・よしのり　社会学者、翻訳家）

◆平凡社ライブラリー（上下、斉藤悦則訳、二〇一四）。本書が本邦初訳。

◇ピエール＝ジョゼフ・プルードン（Pierre-Joseph Proudhon　一八〇九―六五）　フランスの社会主義者。国家権力を否定し、自由な個人による相互連帯に基づいた連合主義を唱える。三一書房『プルードン』（全三巻）のほか、『プルードン・セレクション』（平凡社ライブラリー）、『革命家の告白』（作品社）などがある。

ミハイル・バクーニン『国家制度とアナーキー』

分断が進む現代にこそ読むべき「革命の地政学」

山本健三

ミハイル・バクーニン（一八一四―一八七六）は、ロシアの革命家、思想家である。当初は軍人だったが、そのキャリアを棄てたのち、ヘーゲル哲学に没頭した。一八四〇年にはベルリン大学留学を果たしたが、ヘーゲル左派の影響を受け、革命運動に参加、ヨーロッパ各地で蜂起を煽動した。四九年のドレスデン蜂起での逮捕後、ロシアに引き渡され、政治監獄禁固やシベリア流刑に処されたが、六一年に脱走、ヨーロッパ革命運動への復帰を果たした。その後は反国家・反権威という旗幟を鮮明にし、マルクスと並ぶ革命の巨頭として世界的に盛名をはせた。

『国家制度とアナーキー』は、インターナショナルでのマルクス派との対決に備えて一八七〇年頃に着手され、七三年に完成した。バクーニンはフランス語で書くことが多かったが、これはロシア語で書いた。ロシアに自派がめざす社会革命の展望を示そうとしたのだ。この書はスイスで一二〇〇部ほど刷られ、密かにロシアに運ばれた。そして多くの革命家に読まれ、その後のロシア革命運動に影響を与えた。このようにロシア革命史上の重要著作だが、反ドイツ・ユダヤ的な言説が多く、その「民族的偏見」が否定的に評価される作品でもある。

ところで、バクーニンは体系的に論を組み立てるタイプの著述家ではない。本書も思いつくままに書き殴っているかのような論述が長々と続き、同じ内容の繰り返しも多い。なので内容の要約は容易ではないが、彼の主張はほぼ次の三点に集約されよう。

一、（一八七〇年頃の）ヨーロッパは、ドイツ帝国を頂点とする「国家」と各国の労働者大衆を担い手とする「社会革命（アナーキー）」とに二極分化し、両者が拮抗し合う状態にある。

二、国家および国家を支える諸々は、搾取と抑圧の元凶、すなわち全人民共通の敵である。よって、「国家」と「社会革命」の対立に和解はありえない。

三、人類が解放され、自由と平等と正義を享受しなければならないとすれば、社会革命によってすべての国家が破壊しつくされなければならない。

今日この書を読むべき意味は、その主張そのものより、バクーニンが示した思考や視点の独自性に求められよう。特に重要と思われるのは、地政学的な視点である。例えばドイツの「汎ゲルマン主義的関心、海上国境と海上交通獲得への関心、強大なドイツ海軍への関心」に注目し、勢力圏をバルト海と北海にも拡大したいドイツがロシアと軍事的に衝突する将来を予測している（一三六―一四一頁）。その一方で、「国家」の牙城であるドイツの野望に対抗しうるのは、「社会革命」だけだとし、ヨーロッパ各国の人民、労働者が社会革命の旗をかかげて立ち上がることに期待をかけている（二八〇頁）。

このように、バクーニンにとって「社会革命」は地政学的な問題である。各国の労働者が国際的な連帯を強め、労働者本位の国・地域を拡大しなければならないのは、迫りくる地政学的危機を回避するためでもある。この「革命の地政学」というべき彼の社会革命論は、各国が自国中心主義に傾き、分断が進んだ現代にこそ必要とされているのではなかろうか。

また本書は、読者にバクーニンに関する「常識」の再考を促すテクストでもある。一般的に彼は、あらゆる国家の破壊を唱えた人物として記憶されている。確かに「国家はなんべんそれを人民のものと呼ぼうと、どんなに民主主義的な形で飾り立てようと、しょせんプロレタリアートにとってはまさに牢獄なのだ」（七五頁）と述べるなど、国家の一切を否定しているかのように見える。だが、この「常識」を揺るがすような箇所もある。

その一つが、官僚機構、警察、軍隊が高度に発達したドイツだけを「本物の国家」（二四頁）と呼び、フランスは「（国家として）二流」（四〇頁）、イギリスは「国家であったことはなかった」（四一頁）とした部分である。文字通り受け取れば、ドイツ以外の国々は害の少ない「国家もどき」である。だとすれば、それらは敵意を向ける対象ではない、つまり、彼が問題視したのは権力機構がもたらす実体的な害悪であって、国家自体ではなかった、ともいえるかもしれないのだ。もしそうであれば、「一切の国家権力の破壊を企てるアナーキスト」という像も修正する必要があるが、はたしてどうなのか。

とにかく、『国家制度とアナーキー』は今なお読者の思考を刺激するテクストである。バクーニンに関心がある人は必ず熟読すべきである。

（やまもと・けんそう　島根県立大学教授、政治思想史）

◆白水社（左近毅訳、一九九九）。

◇ミハイル・バクーニン（Mikhail Bakunin　一八一四―一八七六）ロシアの革命家。貴族の出身で、ドイツに学んだのちフランスで二月革命に参加して捕えられ、シベリアへ流刑となる。脱走後は英国へ渡り第一インターナショナルにも参加した。全集（全6巻）は白水社刊。

二十世紀の「怪物」の本質を明らかにする名著

竹内栄美子

幸徳秋水の第一著作である本書は、一九〇一（明治三四）年四月に警醒社書店から刊行された。現在、岩波文庫（二〇〇四年）や光文社古典新訳文庫（二〇一五年）に収録されていて、岩波文庫では山泉進による注および解説が本文理解を助けて有益である。光文社古典新訳文庫のほうは、山田博雄によって現代語訳され、明治期の漢文訓読調文体に慣れない読者にも読みやすい本文となっている。この光文社の文庫巻末には、解説や年譜のほか、幸徳が、権力の仮構する大逆事件の首謀者として、冤罪によって検挙され死刑に処せられる直前に獄中で執筆された「死刑の前（腹案）」も収められており、死を目前にした幸徳の考え方を知ることができる。

さて『帝国主義』初版には「廿世紀之怪物」という角書きがついていて、帝国主義が二十世紀の「怪物」であることが明記されていた。『共産党宣言』の冒頭で共産主義を「妖怪」になぞらえたマルクスの叙法に倣って、幸徳は帝国主義を「怪物」と呼んだのであろう。つまり、本書は、十九世紀から二十世紀にかけて世界的に広がった「怪物」のような帝国主義がいかなるものであるか、その本質を明らかにした書物である。「『帝国主義』に序す」という内村鑑三の序文を置いて、第一章「緒言」、第二章「愛国心を論ず」、第三章「軍国主義を論ず」、第四章「帝国主義を論ず」、第五章「結論」という構成である。

帝国主義の分析としては、第二次ボーア戦争に特派員として派遣されたホブソンによる『帝国主義論』（一九〇二年）や、それを踏まえたレーニン『帝国主義論』（一九一七年）が知られている。それらに先立って幸徳の『帝国主義』が上梓されたことに留意したい。だが、二十世紀初頭、帝国主義に関する世界的な議論の中での本書の位置づけは、世界で初めての分析であるというだけに止まらない。今から一二〇年前の本書が、グローバル化が進んだ二十一世紀の現在においても決して古びていない内実を持っていること、むしろ今こそ有効な分析軸として参照できる要因を提起していることに着目したい。その有効な分析軸とは、愛国心と軍国主義である。

通常、帝国主義は、自国の領土や権益の拡大をはかるために他国を侵略して植民地とし領土や市場を拡大しようとする考え方だと捉えられているだろう。むろんそうに違いないが、幸徳は「帝国主義はいわゆる愛国心を経《たていと》となし、いわゆる軍国主義《ミリタリズム》を緯《よこいと》となして、もって織り成せるの政策にあらずや」と述べて、他国を侵略する帝国主義の根本には、愛国心と軍国主義があると主張した。領土を拡大し「大帝国《グレーターエムパイア》」の建設を目指す「帝国主義者《インペリアリスト》」たちは、自国中心主義の熱狂的迷信に基づいた愛国心によりながら、そのような好戦的愛国心による軍備拡張の競い合いに明け暮れているというのである。このような分析からは、国際協調などお構いないし自国ファーストを声高に言う指導者や、強大な軍事力を誇示するために盛大な軍事パレードを挙行する指導者など、二十一世紀の「帝国主義者《インペリアリスト》」たちを彷彿とすることができるのではないか。

さらに、人口が増加し、とりわけ貧民が増加する問題を解決するには、領土を拡大し、新たな市場が必要であるという理屈がいかに胡散臭いものであるかも、幸徳は喝破する。この理屈は、日本が満州へと進出する侵略政策のもととなった屁理屈と同じである。貧困問題が欧米で生じている原因は、一部の少数者が富と資本を独占し、苛烈な自由競争の結果だと述べる幸徳にとって、帝国主義は「卑しむべき愛国心を行るに、悪むべき軍国主義をもってするの一政策」に過ぎず、その結果は堕落と滅亡だと断じていた。

むしろ、国民の幸福は領土の拡大ではなく「道徳の高さ」にあると論じていることに注目したい。たとえば、イギリスの尊栄と幸福は、インドを領有することではなく、シェイクスピアを持っていることにあるとしている。植民地支配よりも一人の優れた文学者がもたらす芸術を高く評価する幸徳の価値観に留意すべきであろう。文芸学術が戦争の時代に衰退し、軍国主義は社会の改善や文明の進歩に役立つものではないという見解も、幸徳の反戦平和主義思想の現れにほかならない。

『帝国主義』が書かれてから、ちょうど一二〇年経つ。帝国主義という「怪物」は、さらにバージョンアップされてグローバルな現代の独裁者たちに取り憑いているようだ。しかし、戦争に反対し、文明の正義や文化芸術、人道を重視する観点から執筆された本書は、「怪物」への批判意識を明確にするためにも、何度でも再読されるべき名著である。

（たけうち・えみこ　明治大学文学部教授、日本近代文学）

◆岩波文庫（山泉進校注、二〇〇四）、光文社古典新訳文庫（書名は『二十世紀の怪物　帝国主義』、山田博雄訳、二〇一五）ほか。初版は警醒社書店刊（一九〇一）。

◇幸徳秋水（一八七一―一九一一）　社会運動家。中江兆民に師事し、秋水の号は師より贈られたもの。明治の社会主義運動を主導したが、大逆事件により刑死。『社会主義神髄』『基督抹殺論』『兆民先生』が岩波文庫にある。全集（全9巻・別巻2・補巻1）は明治文献刊。

ピョートル・クロポトキン『相互扶助論』

生物の進化の過程で人類に引きつがれたもの

田中ひかる

本書の著者ピョートル・クロポトキン（一八四二―一九二一）は、十九世紀末から二十世紀初頭にかけて活躍したアナキズムの理論家・活動家である。モスクワで貴族の子弟として生まれ、二十歳で軍への勤務を決める際、出世の道からはずれるシベリアでの勤務を志願し、同地で地理学上の探検を行う。その過程でクロポトキンは、野生動物たちの間で実践されている相互扶助を至る所で目撃し、同一種内での「生存競争」を通じて生物が「進化」する、という当時影響力を強めていたダーウィニズムの主張に疑問を抱き、むしろ、生物が生き残る上で重要なのは、「競争」ではなく相互扶助ではないか、と考えるようになる。

その後クロポトキンは、ロシア国内での革命運動に参加し、逮捕後、ヨーロッパに逃亡すると、同地でアナキストとして活動する。その間、彼の著作が日本を含め全世界で読まれ、強い影響力を持つに至った。一九〇二年に刊行された本書もその中の一冊である。

シベリアで野生動物たちの相互扶助を目撃してから三十年後、クロポトキンは、生物による相互扶助を論じた多くの研究や記録、そして自らのシベリアでの体験を根拠に、次のような主張を展開する論文を、六年にわたり発表していく。すなわち、種が生き残っていく上で重要な要因は、「生存競争」ではなく、自然環境の中で生物がともに生き抜いていくための行為としての相互扶助にほかならない。この相互扶助は、人間の「愛」や「同情」から生まれるのではなく、人類が生まれる前から、動物たちが育み、「進化」の過程で人類に引きつがれた「本能」である、と。

本書の中でクロポトキンは、昆虫が仲間と協力して食料を確保し、営巣するといった事例を挙げながら、人間より「下等」であるはずの昆虫に、豊かな相互扶助の実践があると指摘する。また、鳥や哺乳類に見られる多様な相互扶助・社交性・知性について様々な事例を挙げて論じていく。これら昆虫と動物に関する検討に続けてクロポトキンは、石器時代から始まる人間、そして、アメリカやアフリカ、オセアニアの先住民たちによって実践される相互扶助を描いている。その際には、ヨーロッパ人による侵略を通じて彼ら先住民の生活が破壊され、あるいは、先住民がヨーロッパ人によって絶滅に追い込まれたという事実についても言及している。

これに続けてクロポトキンが描くのは、古代社会における部族社会や農村共同体、ヨーロッパの中世都市における相互扶助である。そして最後にクロポトキンは、十九世紀末の、主としてヨーロッパにおける人々の間に見られた相互扶助の事例を挙げていく。ただし彼は、大都市に住み、日常的な関係性が希薄な人々の間で連帯や相互扶助は見られない、目の前の池で誰かが溺れていても何もしない人々もいる、その上、当時を代表する著述家や学者たちは国家のための犠牲、国家同士の憎悪をあおり、人々を争いに向かわせている、と指摘している。

それにもかかわらずクロポトキンは、ヨーロッパの都市や農村などで見られる、労働者による疾病基金、協同組合や労働組合、趣味やスポーツで集まる人々の諸組織による活動や、ボランティアによる海難救助組織の活動、炭鉱の落盤事故に際しての救援活動などの事実を次々に取りあげている。こういった相互扶助の行為が生まれるのは、たとえ国家による支配があっても、民衆の生活は、相互扶助があることで維持されるからであり、また、彼らの生活が連帯の感情を強化しているからである。

以上のように相互扶助の事例ばかりを並べたからといって、クロポトキンが利己主義や競争の存在を否定しているわけではない。しかしながら彼は、当時、圧倒的な影響力を持っていた「無慈悲な生存闘争」による「生き残り」という主張に反論するために、あえてそれに反する事実を列挙しているのである。

このような議論の方法は、今日においても有効である。現代世界において圧倒的な影響力を持っている新自由主義的価値観から逃れるためには、自らが実践する日常的な相互扶助の行為に注目すればよいからである。

本書を今読む意義はもうひとつある。読者は、クロポトキンが事例として取りあげる野生生物の多くが、過去一〇〇年以上の間に、絶滅の瀬戸際に追い詰められてきたということに気がつく。したがって私たちは本書を、人類に対する警告の書として読むことも可能なのである。

（たなか・ひかる　明治大学法学部教員、社会思想史）

◆三一書房（『クロポトキンI』所収、大沢正道訳、一九七〇）。ほかに、大杉栄訳の『相互扶助論』（〈新装〉増補修訂版、大窪一志解説、同時代社、二〇一七）がある。なお、大杉訳には明らかな誤訳がある。大沢訳ではそれらが修正され、また、大杉訳で削除された注と附録が掲載されている。

◇ピョートル・クロポトキン（Peter Kropotkin　一八四二―一九二一）ロシアの政治思想家。その思想は日本の大正期のアナキストにも大きな影響を与えた。他の著書に『ある革命家の思い出』（平凡社ライブラリー）、『ロシア文学の理想と現実』（岩波文庫）、『正義と道徳』『フランス大革命』『クロポトキンの芸術論』（いずれも黒色戦線社）などがある。

グスタフ・ランダウアー『自治 - 協同社会宣言——社会主義への呼びかけ』

「今・此処にある・小さな・新しい社会」の実現のために

大窪一志

グスタフ・ランダウアー（一八七〇―一九一九）は、ベルリン大学などで哲学・神学を学んでマイスター・エックハルト、ニーチェ、クロポトキンの影響を受け、一八九〇年代にドイツの青年を広範にとらえた自然回帰運動のなかで共同社会再生をめざすロマン主義的社会主義思想を育みました。第一次大戦直後、ミュンヘンとバイエルンで相次いで創設されたレーテ（評議会）共和国で閣僚として活躍しましたが、反革命義勇軍の手で虐殺されてしまいました。

この本の原題は訳書の副題にある「社会主義への呼びかけ」です。この本が書かれた一九一一年当時、社会主義と言えば主にカウツキーらドイツ社会民主党の〈議会を通じた政権奪取をめざす社会民主主義〉、レーニンらロシアのボリシェヴィキの〈暴力革命を通じたプロレタリア独裁〉のどちらかでした。いずれも源流はマルクスです。その後も社会主義はこのマルクス主義の流れで考えられてきました。そして、いまやそれらはみんな衰退してしまいました。

ここで呼びかけられている社会主義はこれらとは全く違うものです。大きな違いは、社会民主主義もボリシェヴィズムも、平和的議会主義か暴力的革命かの違いはあっても政治権力を握ることを通じて新しい社会を実現しようとしていたのに対し、いまある社会そのものの中に自治社会を創り出そうとするものだった点にあります。

社会を変えるには私たち自身を変えることから始めなければならないとランダウアーは言います。どう変えるのか？　精神を変えるのだと言うのです。一人ひとりが自由な意志で生きようとする精神（Geist）、それをたがいに結びつけた同胞（Volk）の自治組織（Gemeinde）を創ろうと呼びかけているのです。このガイスト、フォルク、ゲマインデがランダウアーの社会思想のキーコンセプトです。

マルクス主義は、資本主義を資本が労働を支配する生産様式としてとらえて、生産力の発展がこの生産様式と矛盾するようになり、資本家階級と労働者階級の階級闘争が激化して政治革命によって全体社会が変革されると考えました。それは「遠く・彼処にある・大きな・新しい社会」でした。それに対して、ランダウアーが言う自由意志で創る自治の部分社会は「今・此処にある・小さな・新しい社会」なのです。

マルクス流の社会主義が構造分析によって手にした社会的「目的」と、その目的のために設定した政治的「手段」とは懸け離れています。そして活動は手段としての価値の観点からとらえられます。そのため、ソ連や中国に見られたようにプロレタリア民主主義や人民民主主義をめざしながら現実には共産党独裁の官僚制国家を実現する結果にもなっていったのです。ランダウアーが言う自由意志による自治組織は、単なる「手段」ではなく、それ自体に「目的」を内在させている新しい社会の「胚」なのです。その胚が生育すればそのまま新しい社会の成体になるのです。だから、そこでは目的と手段は一致していて、活動はそれ自体がもつ価値でとらえられます。これは、ランダウアーが社会を機構からできた機械のようなものとしてではなく、人と人との関係からできた生きた生命体のようなものとしてとらえたことによるものです。

だから、マルクスが定立した資本と労働の関係も対立関係だけではなく、〈賃金労働者の労働がなければ資本を増殖できない資本家〉と〈資本家のもつ生産手段がなければ労働ができない賃金労働者〉がたがいに依存しあっている相互依存関係にもあり、労働者は、この関係から自立できないならば、政治権力を取っても関係を実質的に変えることはできないのだと言うのです。実際、ソ連も中国も一種の国家資本主義になってしまいました。だからこそ、いま現場で労働者が自己の精神を建て関係そのものを変え自治を培ってゆくこと、他の生産者と連帯してできるところから直接生産者の自己統治を実現し、それらを連合させてゆくことが改めて求められているのです。

今日、資本主義の爛熟の下で自己も社会もぶくぶくと膨張を強いられ、新しい社会のビジョンもそれにつられて膨張し、そのため現実社会も新しい社会像も内実において核心が空洞化していっています。僕ら一人ひとりが自己の核心に回帰してそこを充溢させることを通じて、生きた社会の核心を取り戻してゆくうえで、この本は僕らの生き方に大きな示唆をあたえてくれるでしょう。

（おおくぼ・かずし　隠棲した著述業者）

◆同時代社（寺尾佐樹子訳、二〇一五）。原書は一九一一年刊。

◇グスタフ・ランダウアー（Gustav Landauer　一八七〇－一九一九）ドイツの政治思想家・社会哲学者。クロポトキンの影響を受ける。他の著書に『レボルツィオーン——再生の歴史哲学』『懐疑と神秘思想——再生の世界認識』（ともに大窪一志訳、同時代社）などがある。

『大杉栄評論集』（飛鳥井雅道編）

自我を追求し「生の拡充」を目指して闘った芸術家《アーティスト》

竹内栄美子

大杉栄の評論を集めた本書は、飛鳥井雅道による編集で一九九六年八月に刊行された。飛鳥井によれば、大杉たちの雑誌『近代思想』創刊の一九一二年から、関東大震災後に虐殺される一九二三年までの評論を年代順に配列したという。三部構成で、一部は文学や思想を中心とする雑誌に発表された文章群で「本能と創造」から始まり「征服の事実」「生の拡充」「自我の棄脱」「正義を求める心」など二十一篇、二部には本格的に政治を論じ始めてからの文章「労働運動の精神」など十七篇、三部は一九一一年に執筆した浮田和民への反論「無政府主義の手段は果して非科学的か」の一篇である。

さて、大杉の文章として最もよく知られているのは「生の拡充」（一九一三年）であろう。その前に書いた「征服の事実」を踏まえて執筆された文章だが、人間は誰からも支配されない自由な存在として「生の拡充」を追求すべきであるのに、それを妨げているのが誰かが誰かを征服し支配する「征服の歴史」であるとして、それへの叛逆を述べる。

大杉はこう言っている。「征服の事実がその頂上に達した今日においては、諧調はもはや美ではない。美はただ乱調にある。諧調は偽りである。真はただ乱調にある」。

近代日本の文章史の上でも卓越したこのフレーズは、瀬戸内寂聴が伊藤野枝や大杉栄の評伝小説『美は乱調にあり』『諧調は偽りなり』のタイトルにした文言でもある。「諧調」は「征服の事実」を支えている制度や秩序であり、それはもはや美でも真でもない。美や真は「征服の事実」への叛逆や破壊を示す「乱調」にこそ宿るという。人々を抑圧する制度や秩序を破壊し、憎悪美や叛逆美による創造的文芸を求めるというこのような大杉の主張は、二十世紀初頭に始まったアヴァンギャルド芸術運動の真髄にも通じていよう。根本にあるのは「自己」であり、個人主義者としての感性に従って「自己」を最大限に尊重する芸術家《アーティスト》的姿勢である。本書解説において飛鳥井が大杉と白樺派との近接、とりわけ志賀直哉との結びつきを強調しているように、大杉栄という人物は、緻密な理論重視の評論家ではなく、自分の感性と思想を拠り所にして新しい文体を武器に闘った芸術家《アーティスト》という像《イメージ》なのである。「自己」重視は「労働運動の精神」（一九一九年）でも指摘できる。この文章において大杉は、賃金増加と労働時間短縮という従来の労働運動に対して、本当の労働運動とは「自己獲得運動」、「自主自治的生活獲得運動」であること、すなわち「人間運動」であり「人格運動」であると述べていた。あるいは「自我の棄脱」（一九一五年）では、自分の自我、自分の思想、自分の感情と思い込んでいるものは、実は自分のものではなく他人のものであるため、自我の皮を棄脱していかねばならないという。すべての皮を脱ぎ捨ててゼロになった時に、初めて自分の自我が成長するというのである。大杉がどこまでも自我を追求し「生の拡充」を目指していたことは、これらの文章からうかがえる。

ところで、本書には「鎖工場」（一九一三年）が収録されていない。評論ではなく創作だからであろうか、まことに残念なことで、「生の拡充」以上に「鎖工場」は重要文章であるため、ぜひ読んでいただきたい。これは「夜中に、ふと目をあけてみると、俺は妙なところにいた。」と始まる夢の中の話である。工場でみんながせっせと仕事しているのを見ると、自分の体に巻きつける鎖を作っている。みんな喜んでその作業をしているというのだ。「俺」も同様に鎖を作っているのだが「俺」は自分を縛る鎖など作りたくないので、どうすればよいかと思案する。

自分で自分を縛る鎖を喜んで作るということ自体、あり得ないと感じる読者がいるかもしれない。けれども、私たちはイデオロギー装置としての学校のなかで、会社のなかで、組織の論理に合わせて自らすすんで行動することがある。研修や訓練を受けて、組織の方針に従う従順な身体や精神が形成される。支配されるこちら側が自発的にそのような従順な身体や精神を内面化していくということだ。人間を内部から拘束する権力構造に無自覚でいると、いつの間にか自分で自分を縛る鎖をせっせと喜んで作ることになってしまうのだ。そうならないためにも他律的な生き方ではなく「自我」の能力を自覚し、自分で考えていくことが必要だと大杉は言う。敵は支配者のブルジョアや国家だけではない。自己の内部にいるのである。

大杉の文章は、どれも若々しくて元気がいい。自己に正直でまっすぐなその文章は、読む人を魅了する。ぱる出版から『大杉栄全集』全十二巻・別巻が出ているので、そちらも参照されたい。

（たけうち・えみこ　明治大学文学部教授、日本近代文学）

◆岩波文庫（飛鳥井雅道編、一九九六）。

◇大杉栄（一八八五―一九二三）　社会運動家。幸徳秋水の影響によりアナキストとなる。関東大震災後の混乱の中、妻の伊藤野枝、甥の橘宗一とともに憲兵大尉甘粕正彦らにより殺害された。著書に『日本脱出記』『自叙伝』『獄中記』（いずれも土曜社）、『叛逆の精神――大杉栄評論集』（平凡社ライブラリー）など。全集（全12巻・別巻1）はぱる出版刊。

『伊藤野枝集』（森まゆみ編）

自由を追い求めた「わきまえない女」の思想と生涯

中谷いずみ

一八九五年に福岡の今宿に生まれた伊藤野枝は、一九二三年の関東大震災後、大杉栄とその甥子とともに憲兵に捕まり、虐殺された。Ⅰ創作、Ⅱ評論・随筆・書簡、Ⅲ大杉栄との往復書簡という区分で野枝の文章を収録したこの文庫には森まゆみの解説も付されており、絶好の伊藤野枝入門書といえよう。

女学校卒業と同時に親が決めた相手と結婚する予定だった野枝は、恩師である辻潤のもとに逃げ込み、彼と結婚した。これで教師を辞すことになった辻との生活は経済的に苦しく、家計のやりくりや子育てをしながら、野枝は女性解放雑誌『青鞜』に参加し文筆にも励む。そんな中、辻の浮気が発覚し、心にしこりを残していた野枝は大杉栄と出会い、夫と子どもを捨てて彼のもとへ走るのだが、大杉は妻である堀保子のほか、新聞記者だった神近市子とも愛人関係にあった。彼は「自由恋愛」（フリーラブ）の実践として、互いに自由な恋愛関係をうたうが、男が愛人をもつのと女が愛人をもつのとでは実現の容易さや周囲の目の厳しさに格段の差があり、対等な自由恋愛など成立し得ない。こじれた四人の関係は、神近が大杉を刺し重傷を負わせる葉山日蔭茶屋事件に至り、快復した大杉は野枝と結婚生活を始めることとなる。

こうした事件もあって、同時代における野枝の評判はあまりいいものではなく、現在でも、火のような激しさで自己中心的に行動する野枝を肯定的に見るか、否定的に見るかで好き嫌いは分かれるだろう。ただ留意したいのは、この時代には恋愛が女性の自己実現の方法でもあったということだ。野枝はしばしば「因習／習俗（コンベンション）」を批判したが、実際、本人の意思とは無関係に決められる結婚も、また何があっても結婚を続けねばならないというのも因習といえるだろう。この本に収められている自伝的小説「乞食の名誉」には、辻との生活の中で主婦である野枝に強いられた忍耐、個性の抑圧、あきらめと自由の希求との逡巡が描かれている。だとすれば、大杉への恋の根底には、女の個性をつぶす結婚生活があったのではないか。実際、因習が女に忍耐を強いることに野枝は敏感だった。本文庫所収の「内気な娘とお転婆娘」には、酔っ払い男が内気な娘にもたれかかる場面に遭遇して「酔っ払いの無作法よりも、その娘さんの理由ない我慢強さの方がよほど腹が立った」（三二五頁）とある。筆者には賛成できない一文だが、ただ野枝が「理由ない我慢強さ」に腹を立てているのは明らかである。因習の結果である女たちの我慢や沈黙が、その因習や既存の規範を延命させるサイクルに野枝は苛立っていたのかもしれず、だとすれば恋愛や結婚に関わる野枝の行動は大杉とのロマンスであると同時に、家や我慢という囚われからの遁走であり、体当たりの抵抗であったともいえるだろう。しかし、女は性的欲望をもたず、おとなしく妻・母の役割を果たすものとみる社会では、スキャンダルとしてのみ受け止められることとなった。では、現代の私たちからはどう見えるだろうか。今日的にみれば、野枝はいわゆる「わきまえない女」のハシリと言えるかもしれず、また彼女が参加した『青鞜』はまさに「わきまえない女」たちの雑誌に他ならなかった。彼女たちの様子を知りたい人は、この文庫に抄録で収められている小説「雑音」をぜひ読んでみてほしい。

野枝にとって、辻潤と大杉栄という二人のアナーキストは、夫というだけでなく向学心を充たしてくれる相手でもあったのだろう。彼女が影響を受けたエマ・ゴールドマンは辻なくして翻訳し得ず、また広く社会問題に目を向けたいと思う野枝に思想的影響を与えたのが大杉だった。文庫収録の大杉との往復書簡からは二人の熱愛ぶりがうかがえる。彼が家事育児にも積極的に関わったことから理想的な夫婦関係として語られるが、私には野枝がソフトな家父長制に絡め取られてしまったように感じられる。女性同士を対立させた「自由恋愛」は、結果的に野枝から多くの女友達を奪うこととともなった。もし野枝が女たちとのつながりを保っていたら、あるいは彼女が長生きして再度「わきまえない女」たちとのネットワークをつくっていたら……。野枝の生涯にわたる文章をバランスよく収めたこの文庫を読むと、そんな思いにかられる。『青鞜』に参加したフェミニストであり、またアナーキストでもあった野枝が持ち得たアナーカ・フェミニズムの可能性を、この文庫は垣間見せてくれる。そして同時に、それを奪った権力の非道さを改めて浮かび上がらせるのである。

（なかや・いずみ　二松学舎大学文学部准教授、日本近現代文学・文化）

◆岩波文庫（二〇一九）。

◇伊藤野枝（一八九五―一九二三）　女性運動家。女性解放雑誌『青鞜』に参加。関東大震災後の混乱の中、大杉栄とその甥とともに憲兵大尉甘粕正彦により殺害された。『吹けよあれよ風よあらしよ――伊藤野枝選集』（學藝書林）、『伊藤野枝の手紙』（土曜社）などがある。全集（全4巻・別巻1）は學藝書林刊。

「私自身を生きる」ために

内藤千珠子

金子文子（一九〇三―二六）は、「大逆罪」に問われ、二十三歳という若さで獄死した。過酷な人生体験からつかみとられた彼女の思想は、思想史、フェミニズムの文脈、女性史においても高く評価されてきたが、二〇一九年に韓国映画「金子文子と朴烈」が日本で公開されたことを機に、物語の主人公としても改めて注目が集まったといえるだろう。本人が書き残した言葉がありながらも、金子文子を主人公とする小説やノンフィクション、研究の言説のなかで、物語の主人公としての金子文子は、朴烈のパートナー、すなわち愛に生きる「革命のヒロイン」によってイメージされてきた傾向がある。だが、『何が私をこうさせたか――獄中手記』（春秋社、一九三一）にある言葉を読むと、「ヒロイン」の典型的なイメージを裏切る鮮烈な意志が、直に伝わってくる。自分自身を見失わせる社会構造のなかで、「私自身を生きる」ためにはどうしたらいいのか。未来の読者に向けて問いかける言葉には、現在形の力が宿っている。

金子文子は、複雑な家庭環境が原因で無籍者として育った。一九一二年から一九年まで、父方の祖母に迎えられ朝鮮の芙江で暮らした経験をもつ。貧困、就学における差別、朝鮮での生活における家族からの虐待など、成長の過程では厳しく困難な体験を強いられた。一九二〇年に十七歳で単身上京し、二二年、朴烈と知り合い、雑誌『黒濤』『太い鮮人』を創刊、二三年、朴烈とともに不逞社を設立する。関東大震災後の混乱のなか、金子文子と朴烈は検挙され、刑法第七三条（大逆罪）ならびに爆発物取締罰則違反容疑で起訴されることとなり、二六年、大逆罪による死刑判決を受ける。現在では、この一連の出来事は、震災後の朝鮮人虐殺事件を隠蔽するために捏造された事件として知られている。金子文子と朴烈は「恩赦」により無期懲役となったが、文子はそれを拒否し、獄中で縊死した。

『何が私をこうさせたか』は、自伝的な内容が叙述された獄中記である。本文冒頭の「手記の初めに」をみると、予審尋問の過程で判事の立松懐清から「過去の経歴」について書くように命じられたのが執筆の契機になったのだが、彼女がこの「生い立ちの記」を同志に託し、出版したいという希望をもつに至ったことがわかる。つまり本書は、公的な権力に対峙しつつ発話された言葉であると同時に、自分が死んだ未来の時間に、出版され、多くの読者に読まれるという可能性に向けて書かれたものだ。

人生をとおして金子文子が不条理に被った暴力は、「無籍者」という条件や階級という要素による差別、女性であることから経験させられた性暴力など過酷を極めている。その経験を構造的に思考することで、彼女は帝国日本が植民地に向ける暴力や民族をめぐる差別を批判的に理解し、マイノリティの痛みや怒りに共鳴する。この獄中手記のなかで金子文子は、構造的にマイノリティとなる存在を必要とする社会において「偉い人間」になろうとすることは、人のために生き、「他人の奴隷」になることではないかと問う。「他人」から評価され、理想的にみえる成功を目指すことが、見えない暴力とつながり、結果として自分も損なってしまうという視点は、現代を思考する上でも示唆に富むが、その視点の延長で「私は私自身でなければならぬ」という決意が表明されていく。また、「私自身」を生きるために「私自身の仕事」をしたいと考えるようになったきっかけとして、「女の友だち」である新山初代との友情が記されていることも印象深い。現代の読者は『何が私をこうさせたか』から、「革命のヒロイン」のイメージを帯びた異性愛的な物語に隠されがちであった、女性同士の連帯や共鳴の力を受け取ることができるはずだ。

金子文子の思想には、序列化して誰かを排除する暴力と訣別し、生を肯定するための論理が息づいている。尋問調書に残された言葉を読み合わせるとさらに鮮明になるのだが、ジェンダーや民族、階級などの属性によって差別や暴力が生じるその瞬間を彼女は見逃さない。金子文子の言葉は、わたしたちに、暴力から隔たるための世界の可能性について語りかけている。

参考文献

鈴木裕子編『金子文子　わたしはわたし自身を生きる――手記・調書・歌・年譜』（増補新版、梨の木舎、二〇一三年）。同書には『何が私をこうさせたか――獄中手記』全文のほか、尋問調書、獄中歌集も収録されている。

（ないとう・ちずこ　大妻女子大学文学部教授、日本語文学）

◆岩波文庫（二〇一七）。初版は春秋社（一九三一）。

◇金子文子（一九〇三―二六）　大正期のアナキスト。恵まれない家庭環境のなか、十七歳で上京し、社会主義、アナキズムに傾倒。関東大震災後、パートナーである朝鮮人の朴烈と検挙され、天皇暗殺を図ったとして大逆罪で死刑宣告を受ける（朴烈・金子文子事件）。のち無期懲役となったが二十三歳で獄死。

『エマ・ゴールドマン自伝』

自由を愛したアナキストの波乱万丈の半生を描く

海老原弘子

アメリカ連邦捜査局（ＦＢＩ）初代長官フーヴァーに「アメリカで最も危険な女」と言わしめたエマ・ゴールドマン。『エマ・ゴールドマン自伝』と題された上下二巻一五〇〇頁余の本書を前にしたとき、多くの人は「こんな分厚いアナキストの自伝を買ったところで果たして読み通せるのだろうか」と自問自答して手に取るのを躊躇することだろう。しかし、そんな心配は無用だ。本書は単なる〈自伝〉ではないのだから。ゴールドマンは本作の執筆に取り掛かる前に既存の自伝や評伝を徹底的に研究して、自分の半生の記録を一般的な自伝とは異なる作品にしようと考えた。言葉で大衆を熱狂させるプロパガンディスト（宣伝者）としての才能が最大限に発揮された本作では、自由を愛したゴールドマンらしく読者の〈読む自由〉が最大限に尊重されている。

あなたが『海底二万里』に心を躍らせたことがあるなら、本を開く前にゴールドマンに関する知識を全て忘れてほしい。本を開くとあなたの前に姿を表すのは主人公エマ。自由を夢見て新大陸にたどり着いた若い女性だ。似たような境遇の若者サーシャと運命の出会いを果たし、青い鳥を探すチルチルとミチルのように、エマとサーシャはアナキズムを探す旅に出る。とりわけ、米国を追放されて戻ったロシア革命後のソビエト連邦で、二人の行く手を阻む官僚制の迷宮と格闘するくだりは、とても事実とは思えない出来事が次々と起こり、歴史的人物が登場するパロディ小説のよう。涙あり笑いあり、波乱万丈の長編娯楽小説なのだ。

『パリ・ロンドン放浪記』のようなルポルタージュ文学がお好みなら、十九世紀末から二十世紀初頭の米国社会の詳細なルポとして読むことをオススメしたい。〈移民〉の〈女性〉という社会から二重に疎外された立場に置かれた著者が、鋭い観察眼で米国社会の暗部に切り込んでいく。扱われるテーマは労働、移民、貧困、売春、戦争、徴兵、司法、刑務所、表現の自由、バース・コントロール、国家ナショナリズムと多岐に渡る。そして、何よりも最大の魅力は、アメリカ合衆国とソビエト連邦という二つの超大国の国家権力に関して、類い稀な知性と洞察力を持つアナキストの考察を知れることだろう。また、政府高官から刑務所の仲間まで、有名無名を問わずに深い愛情と敬意を持って描かれているところに、ゴールドマンの人柄が表れている。

『ジェイン・エア』に魂を揺さぶられたあなたには、一人の女性が家父長制社会と闘いながら自分の人生を生きる姿を描いた作品として読んでほしい。家父長制が色濃い帝政ロシアに生まれたエマの反逆人生は、父親の決めた相手との結婚を拒否して自由の大地アメリカを目指すことから始まった。「生涯をアナキズムに捧げる」という誓いを果たすため、困難に立ち向かいながら人生を切り開いていくが、恋多き女を最も苦しめたのが愛情関係だった。普通の家庭が欲しいと言い出されて破局したり、講演活動をやめて家庭に入ってほしいと狂言自殺されたりと、家父長制の社会で女性が結婚や出産以外のことを望む時に立ちはだかる大きな壁、最愛の人が最大の障壁になるという苦悩と葛藤が赤裸々に描かれている。

アナキズムに興味があるならば、出版を通じて国境を越えたネットワークを構築した第一インターのアナキズムを知るのにぴったりの教科書だ。米国のアナキストと紹介されることの多いゴールドマンだが、アナキズムに目覚めた彼女が情報を求めたのがニューヨークのドイツ人移民のコミュニティで、第一インターに参加したヨハン・モストに導かれてプロパガンディストとなった。欧州のアナキストとの交流も盛んだったことから、彼女の人生の背景として十九世紀末から二十世紀前半にかけての欧州のアナキズム運動の歴史が詳しく描かれている。さらに、一人称で書かれた思考の軌跡の記録はゴールドマンのアナキズム論として読んでもいいし、クロポトキンやマラテスタといった著名アナキストが勢揃いし、アナキスト界を揺るがした大事件（もちろん大逆事件も登場する）も網羅されているので、アナキスト辞典やアナキズム史の本としても読めるだろう。

文学や詩を愛し、演劇批評の著作もあるほど演劇に造詣が深かったゴールドマン。本作はその語り部としての素晴らしさに触れることができる唯一の著作と言える。人生のほとんどをアナキズムのプロパガンダに費やした人物が、物語の創作に没頭できる時間を得たのは奇跡と言って良い。この幸運を噛み締めつつ、思い思いにお愉しみあれ！

（えびはら・ひろこ　アナキズム愛好家、イベリア書店事務員）

◆ぱる出版（上下巻、小田光雄、小田透訳、二〇〇五）。

◇エマ・ゴールドマン（Emma Goldman　一八六九―一九四〇）　リトアニアで生まれ、アメリカでアナキストとして活動、第一次世界大戦後に国外追放された。のちにアメリカで女性解放の先駆者として再評価される。伊藤野枝に大きな影響を与えた。他の著書に『女性解放の悲劇』（はしもとよしはる編訳、イデア出版）、『アナキズムと女性解放』（はしもとよしはる訳、ＪＣＡ）など。

高群逸枝『アナキズム女性解放論集――婦人戦線に立つ』

女性の解放と自治のための新しい意識を説く

蔭木達也

本書は、一九三〇―三一年発行の雑誌『婦人戦線』誌上に高群逸枝が書いた諸評論を、高群の没後に採録して出版したものである。テーマは多岐にわたっているが、いずれも、女性の苦悩に即した社会批判と、その当面の対処法と、人々が向かうべき方向を論じている。

「婦人戦線に立つ」では、「生産」を中心とした国家や資本家らのイデオロギーがいかに女性と子供を差別するかを説き、女性たちが連帯して「自治」へ向かうことの必要性を訴える。「家庭否定論」では、「家庭」が字源的に豚小屋と刑務所を示すことを紹介し、女性が「家庭」を「ケトバス」ための処方箋を示す。「無政府主義と性の処理」は、男性の「性欲」処理の自由ではなく、女性が「生殖」の相手を選ぶ自由を、「性自治」という言葉で提起する。「無政府恋愛を描く」では、女性にとっての「恋愛」の自由の可能性を、現実社会に即して考える。「美人論」は、「美人なるものは、化粧と着物とで出来ている」とした上で、女性の「美」を求める心理が「都会」に集積する「富」によって搾取されていることを指摘し、「都会の廃止」を主張する。「わたしはこう思う」は、「嫉妬心の撲滅」という主張が男性に都合のよい「性の共有」を求めているものだと批判し、「自己の性」に目覚めれば「嫉妬心」は問題にならないと説く。

高群は、これらの問題における女性の「解放」が、社会の根本的な変革なくしては叶えられないと考えていた。しかし、その変革の手段として、何か一つの「方法」を採用することには抵抗していた（「無政府主義問答」）。ある中心、ある単一の理論を採用すれば、そこに権力が生まれ、周縁化され搾取される人が出てしまうからだ。それゆえ高群は、『婦人戦線』が中心や指導者のない雑誌であることを強調した上で、「政党」や「マルキシズム」など単一の運動に参加することに懐疑を示し（「生田花世さんへ私信がわり」）、同時代のマルクス主義者に対して殊に攻撃的な批判を行い（「我国マルクス婦人の頭脳拝見」「わが国男性諸君に見参」）、「アナキスト」という立場を選択したのだった（『続・アナキズム女性解放論集』も参照のこと）。高群を伊藤野枝や近藤真柄、望月百合子ら「アナキスト」で「女性」の人々に列することも可能だが、その立場と論理構成は高群独自の思想に依っている。運動の中心を持たず、個々人が解放の「意識」さえ持てばそれでアナキズムとしては十分な戦術となる、という高群的「アナキズム」の内実を知ろうとするならば、本書の「無政府主義の目標と戦術」「我等の婦人運動」「婦人戦線一年・婦人思想史」を踏まえた上で、「無政府主義問答」に登場する「観念」と「実在」の関係についての高群の考え方を掘り下げる必要があるだろう。

一八九四年、小学校の校長の家に生まれた高群は、師範学校を中退し、女工や教員を勤めたのち、寺に起居したり、四国遍路に出たりと、二十代前半まで人生の試行錯誤を繰り返していた。そして二十六歳の時、上京して詩人、評論家として本格的なデビューを果たす。一九二〇年代を通じて、『東京は熱病にかゝつてゐる』や『恋愛創生』などの著作を次々と発表し、同時代の論者たちと女性の自由をめぐる論争を行った。

一九三〇年に創刊された『婦人戦線』は、アナキズムの立場から女性の解放を訴えるための機関誌だったが、翌三一年の六月を最後に発行が止まる。その直後に起きたのが満州事変だった。日本の中国侵略をめぐり西洋諸国との対立が深まる中で、西洋や中国に対する「日本」の独自性を問い直す動きが広がるとともに、思想弾圧が強まっていく。高群が理想とした自治と自由連合の社会の実現は遠のいた。そこで高群は、自然宗教としての「日本神道」に可能性を見出し、日本の戦勝を願いつつ、女性が解放された社会に向かうための手がかりを日本の歴史から学ぼうとした。敗戦を挟んで一九六四年に没するまで続けられた研究の成果は『大日本女性人名辞書』『母系制の研究』『招婿婚の研究』『女性の歴史』などの大著として実った。

女性解放のために、生産を中心とした価値観、女性固有の生理的事象を無視する議論を批判し、女性に新しい意識をもたらして社会全体を解体することを求めた本書は、資本主義がすみずみまで浸透し、性を問わず万人が労働市場に駆り立てられる今日、いっそう新鮮な議論として読者に訴えるところがあろう。

（かげき・たつや　慶應義塾大学経済学部助教、社会思想史）

◆黒色女性社（一九八二）。『続・アナキズム女性解放論集』は黒色戦線社（一九八九）。

◇高群逸枝（一八九四－一九六四）　女性史研究家。主要な業績を収めた全集（全一〇巻）は理論社刊だが、アナキズム時代の著述や太平洋戦争中の言論は収録対象から外されている。ほかに『娘巡礼記』（岩波文庫）、『お遍路』（中公文庫）、『高群逸枝語録』（岩波現代文庫）など。

ソローの日記を毎日読む

山口晃

ヘンリー・ソロー（一八一七―六二）は、生涯に二冊本を書いただけでした。『コンコード川とメリマック川の一週間』（一八四九年）とその姉妹編の『森の生活』（一八五四年）。前者は自分たちで作った舟で櫂と竿と帆を使い、兄といっしょの川旅。後者は自分で木を伐り、棟上げだけ隣人たちに手伝ってもらい、一人で建てた小屋で湖と森に囲まれた生活。この二冊は作品でした。しかし彼は二十歳の時から二十年以上、毎日日記を書いていました。ポケットに手帳を入れ、野外の月光のもとで、あるいは焚火の炎の明かりでも書きました。走り書きであり、句読点もないものが多く、行変えも不ぞろいです。

　十数年前から私は毎日、彼の日記を読んでいます。ほとんどが野外での自然観察です。隣人も登場しますが、すべて無名の人ばかりです。作品でない、修辞の少ない文章の心地よさに、一年ごとに引き込まれていきます。ここで、ソローの日記から一つ、引用してみます。

《十月二十日　一八五七年　午後。旧カーライル街道を少し行ったとき、ブルックス・クラークに出会った。いま八十歳ほどで、弓なりに身をかがめ、道を急いでいた。例のごとく裸足《はだし》であり、手に斧をもち、むき出しの足に風が冷たいせいか、急ぎ足だった。近づいて来たとき、片手に斧を持っているほかに、もう一方の手に靴を一足持ち、靴の中にこぶの多い野生リンゴ、そして死んでいるコマツグミが入っていた。彼は立ちどまり、しばらく私と話した。実に素晴らしい秋だったが、これからは寒い気候になりそうだ、と言った。死んでいるコマツグミを見つけたのですか、と私は尋ねた。いや、翼が折れているのを見つけ、殺した、と言った。また森でいくつかリンゴを見つけ、入れて運ぶものが何もなかったので、両方の靴に入れた、と付け加えた。靴は中に収穫物を入れて運ぶには奇妙な盆であった。ポケットもリンゴで詰まっていた。……この風の吹きすさぶ午後、幼い少年がするように、見つけられるものを見つけようと外に出て探していたようだ。このように命をつなぎながら、ふつうの人よりほぼ倍くらい身をかがめ、生涯の晩年を享受しているこの陽気な老人に会うことは楽しい。十月の夕べに、冬の貯えに加える記念物として、それを家に持ち帰る子供のようなこの喜びを、強欲や貧窮と呼ぶつもりはさらさらない。ああ、違うのだ。あいかわらず自然からの恩給受給者であること、暮らしに必要なものを鳥のごとく拾い集めることで、彼は幸せなのだ。あなたの七面鳥よりも彼のコマツグミのほうが、あなたのリンゴがいっぱい詰まった樽よりも彼のいくつかリンゴの入った靴のほうが、よいのである。それらのほうがおいしいだろうし、より素晴らしい話を提供してくれる。》

昔、私はソローよりほぼ百年まえ、江戸時代に生きた安藤昌益の『自然真営道』を読みました。よくわからず、手探りのまま本を閉じました。ふと思い、しばらく前から再読をはじめ、序の部分のあまりのおだやかな文に驚きました。囲炉裏、火、灰の中の土、薪、湯、鍋蓋、鍋づる。昌益がそれらをいつくしむように眺めている姿が浮かんできます。男女《ひと》は耕し、衣を織り、家を作り、夫婦は交合します。そのすべてを直耕と表現しました。なんとも力強くゆるやかで快い言葉です。ソローは薪用に流木を拾い集めるような人間でした。昌益は囲炉裏で穀物や豆が煮えてゆくのを眺め、喜びを感じる人間でした。ソローの日記を毎日読んでいることがおそらく一つの導きになったのでしょう、私はあらためて昌益の中に入りつつある自分を感じます。

ソローの日記を読みながら、以前首をかしげることがありました。彼は夕日を眺めながら、今日の夕日はいままで一番だというのです。ところが翌日また、今日は本当にめずらしいほど素晴らしい夕日だ、というのです。そうたびたびこうした記述に会うと、誇張かなと思ってしまうのですが、違うのです。彼は心底そのたびごとに「今日の夕日は最高だな」と思うのでした。

私は次第に次のように考えるようになりました。この世界にありながら、自らの軸足を自然の中により深く置く人がいます。その結果、作為、人為、人間の思想に距離を取ることになります。社会的な大変革や市場経済に距離を置いて、そのかたわらを静かに歩く人がいます。時代遅れに見えます。そうした人は今も昔もいました。おそらくこの人は昔からずっとどこにでも流れている、ある水脈に出会った人なのです。この水脈は名を与えようとすると見えなくなります。名ではなくて、身体を使い、動き、感じるなかで共振する流れだからでしょう。この水脈は、遠いどこか他の場所にあるのでなく、私たちと地続きのところを流れています。

（やまぐち・あきら　翻訳家）

朝鮮・韓国におけるアナキズム運動の展開

亀田 博

日本帝国主義との闘い

朝鮮におけるアナキズム運動の広がりは、東アジアにおける日本帝国主義の侵略、植民地化に対する闘いと不可分であった。東アジアにおいてアナキズム思想の受容は、前史として一九〇七年、中国の独立運動家を中心とした「亜州和親会」の東京での結成がある。その理念は政府を設けないこと、独立後は無政府の制度を行い、バクーニンの連邦主義を採用し、あるいはクロポトキンの自由連合の説を実行して、云々とある。しかし日本帝国の弾圧により活動家は日本を離れざるを得ず、また一九一〇年の朝鮮への強制併合と同時進行で管野須賀子、幸徳秋水たちへの大逆罪弾圧もあり、東アジアにおけるアナキズム思想の深化、アナキストの活動展開はさらに十数年の歳月を必要とした。

日本帝国は二十世紀初頭から非対称な武力を行使し、朝鮮独立運動に参加する民衆へのジェノサイドを続けた。さらに一九一〇年の強制併合を経て、植民地支配、武断政治といわれる強権の民衆支配に進んでいく。それに対し、独立運動グループは武装せざるを得ず、朝鮮半島から中国東北部に拠点を移し、コミューン建設も含め継続的な闘争へ向かう。日本帝国の軍隊を撃破した青山里《チョンサンリ》戦闘を指導した金佐鎮《キムジャジン》のコミューンにアナキストたちが接近し、金佐鎮はコミューンを再編、漢族総連合会としアナキズムの組織原理を採用した。

一九一九年、朝鮮全土での三・一独立運動を経て、日本帝国からの独立、日本帝国打倒へ多くの民衆が意志を固め、アナキズム系労働運動、独立運動が必然的に活性化する。一九二〇年代、朝鮮のアナキズム運動は、日本帝国に強制併合された朝鮮、中国東北部、上海・北京など中国の都市、そして日本帝国本国と、複数のエリアを拠点に展開された。

「朝鮮革命宣言」の理念

アナキズムの影響を大きく受け始めて

いた朝鮮の著名な歴史家で独立活動家の申采浩《シンチェホ》は、金元鳳《キムウォンボン》を中心に結成された義烈団の「朝鮮革命宣言」を一九二三年に起草する。ここで申は日本の天皇の打倒を目標に掲げ、独立闘争の理念と具体的行動を示した。義烈団は武装闘争が主であった。その後、アナキストの柳子明《ユザミョン》が加わって理論的支柱となり、朝鮮から離れざるを得なかったアナキストたちと義烈団をつなぐ役割を果たす。柳子明は大杉栄の活動を知るようになり、大杉栄訳クロポトキンの著作を読んでいる。

申采浩は、一九一九年に抗日運動に奮闘する中で、北京在住のアナキスト李会栄《イフェヨン》、柳子明らと交流する一方、同時期、李会栄を中心に白貞基《ペクジョンギ》、李乙奎《イウルギュ》、李丁奎《イジョンギュ》により在中国朝鮮無政府主義者聯盟が結成されている。

申采浩と朴烈

申采浩は、アナキズム運動に傾倒する。一九二七年ころ南京で設立され、日本帝国本国からも含め、アジア各地域のアナキストが参加した東方無政府主義連盟に加入する。しかし台湾で日本帝国の官憲により逮捕され、裁判で幸徳秋水への評価を述べたことが報道されている。

朴烈《パクヨル》は三・一独立運動に参加後、東京に移り、一九二二年に運動紙「黒濤」を発刊する。さらに朝鮮と日本のアナキズムに関心がある同志とともに不逞社を結成し、アナキズム講座を開催する。不逞社のメンバーは関東大震災の混乱下に治安警察法違反の秘密結社にフレームアップ弾圧される。予審時に朴烈が所蔵していた申采浩の『朝鮮革命宣言』が押収されている。朴烈は金子文子とともに大逆罪で起訴され死刑判決を受ける。二人は「恩赦」という政治的意図で無期懲役に減刑になるが、金子文子は獄死した。

「黒旗事件」と「真友連盟事件」

日本帝国の権力者にとって不逞社グループの存在は最も忌避されるものであった。そのため、一九二三年から三〇年にかけ、不逞社周辺の朝鮮アナキストに対しフレームアップ弾圧、獄死攻撃が続いた。「大逆事件」大審院判決後、金子文子の獄死を軸に二つの大きな事件があった。朝鮮アナキストも参加する黒色青年連盟による「黒旗事件」と、朝鮮大邱《テグ》のアナキズム読書会グループの真友連盟が弾圧された「真友連盟事件」である。

権力者は、一九二六年一月の黒色青年連盟による黒旗事件では前年に成立した治安維持法を行使できないという屈辱を喫した。そこで官憲は治安維持力を誇示するため、同志たちによる金子文子の追悼行動を契機として、黒色青年連盟に参加していた金正根《キムジョングン》らを、大邱の権力統治機構破壊を真友連盟が計画したとフレームアップし治安維持法で裁判に付した。日本と朝鮮のアナキストが連帯・協同した闘争をことごとく潰すという官憲の大弾圧である。

労働運動においても、日本と朝鮮のアナキストは協同して活動した。朝鮮アナキストたちの活動報告の記事が『自由聯合』紙に毎号数本は掲載され、「朝鮮自由労働者組合」の結成などを知ることができる。また、武装したアナキズム系の独立運動への弾圧も報告されている。

国民文化研究所の設立とその活動

一九四五年の朝鮮の解放後、独立運動に参加していた朝鮮のアナキストたちは各地から戻る。アナキストの李丁奎らが自由社会建設者連盟を発足させ、やがてソウルで施設も含め国民文化研究所を設立し、韓国アナキストの実践運動の拠点となっていく。朝鮮戦争による南北の分断以降は大韓民国で活動する。

日本で活動し、また刑務所に投獄されていたメンバーの一部は民団結成に向かい、初期の活動の中心を担った。また、論評や文芸作品を掲載した『自由朝鮮』誌が創刊された。

国民文化研究所は、軍事独裁政権の時代が長く続く状況下で、都市と農村をつなぐ協働組合運動の実践を進めていく。アナキズムに基づいた自主、協同的な自由社会の建設に向けて、一九六〇年代には市民教養講座の開催、学生への農村活動指導などを展開した。一九七〇年代には農村運動者協議会の結成と実験消費組合運動、一九八〇年代以降には都市と農村を結ぶ生活協同組合運動を進める。そして二〇〇〇年代には自由社会主義理念に基づく実践運動に向かう。

近年の動向

国民文化研究所の近年の活動としては、韓国アナキスト独立運動家記念事業会を結成し、従来の独立運動史の検証を行っている。二〇一八年には連続講座を開催、そのテーマは「独立運動の最前線で帝国主義の支配と圧制に立ち向かい闘争した韓国のアナキスト」であった。理論誌として『アナキズム研究』を刊行している。

朴烈の生誕地であり金子文子の墓碑がある聞慶《ムンギョン》市に朴烈記念館が建てられ、研究所のメンバー李文昌《イムンチャン》、金昌徳《キムチャンドック》を中心にアナキズムや金子文子に関連した講座、シンポジウムが同記念館や同市の公共施設で開催され、栗原康、筆者が登壇している。

一九九〇年代にアナキズム研究者らにより発足した「韓国アナキズム学会」は、休会もあったが十年ほど前に活動を再開し、二〇二一年には「クロポトキンの思想と韓国の独立運動」をテーマに学術大会を開催している。

新しい世代の動向としては、軍事独裁政権が倒れ、民主化後の二十世紀末には米国留学でアナキズムの影響を受けた青年らにより、アナキズムに関心があるグループが結成された。また、二〇〇一年には韓国の徴兵制に反対し拒否の思想をもった青年アナキストが東京で「だめ連」系の人々と交流している。

（かめだ・ひろし　歴史研究者）

参考

亀田博「三・一独立運動と金子文子の叛逆的気分」（『社会文学』五二号、二〇二〇年八月）

同「三・一独立運動から百年――《朝鮮革命宣言》シンチェホの闘い」（『初期社会主義研究』二八号、二〇一九年十一月）

同「大逆事件と韓国併合」「大逆事件年譜」（『彷書月刊』二〇一〇年四月号）

同「金子文子と朝鮮」「金子文子年譜」（『彷書月刊』二〇〇六年一月号）

朴泰遠『金若山と義烈団――一九二〇年代における朝鮮独立運動とテロル』（金容権訳、皓星社、一九八〇）

『高等警察要史』（慶尚北道警察部、一九三九年。復刻版一九六七年）

4 アナキストの夢とその時代

戦前・戦中期の自由空間

人はいかにしてアナキストとなるのか。厳しい弾圧と必死の抵抗のなかで、自由を求めて社会運動を展開したアナキストたちの生涯から、かれらが生きた時代と支配に屈しない生き方を読む。

多田茂治『大正アナキストの夢――渡辺政太郎とその時代』

献身的に運動を支えた人物と同志との交流を描く

大和田茂

渡辺政太郎《まさたろう》という人を知っているだろうか。彼は、忘れられた社会運動家だと言ってもいい。一八七三（明治六）年山梨県甲府市近村に生まれ、堺利彦、幸徳秋水と同世代、後輩格の大杉栄、荒畑寒村らとも苦楽をともにした仲だった。妻と住むわび住まいにはいつも同志が集い、年下の運動家たちから「渡辺の爺さん」と慕われたが、一九一八年、その死（結核による）を惜しまれ帰らぬ人となった。

本書は渡辺政太郎についての唯一の本格的評伝である。著者は一九二八年福岡県生まれ。九州大学経済学部卒業後、新聞記者、週刊誌編集者を経て文筆家になり、小説集『多摩困民記』（創樹社、一九七九）、長編小説『筑前江川谷――竹槍一揆から秋月の乱まで』（葦書房、一九七九）、『夢野久作読本』（弦書房、二〇〇三）など多数の著書がある。

本書執筆の動機は何か。それは序章ほかでも触れられているが、スター的に注目を浴びる幸徳や大杉などの運動家より、彼らの陰で名利を追わず、黙々と献身的な活動を通すことを自らの職分とした「地の塩」のような存在、そのような人物を描くことが、現代で社会主義やアナキズムの意味を問い直すことになるという思いからだったといえる。

政太郎は病弱の父に代わり十五歳から働き出し、横須賀の洗濯屋や甲府の紡績工場に勤めたが体を壊し帰郷、理髪職人に修業して村で床屋を始めた（のち社会主義者になった彼は「平民床」を開く）。一八九四年、日清戦争前夜、父が亡くなり家族の面倒を見なければならない身でありながら、一家を母の妹宅に預けて、「時代の風潮になにか心せかれるものがあった」のか、二十一歳の政太郎は人生の煩悶を抱えながら勉学の志をもって上京する。

著者は政太郎をよく知る鳥谷部陽太郎の『大正畸人伝』（三土社、一九二五）を引き、村での情死事件に関し政太郎が十七歳にして「他者の痛みも我が痛みと」した彼の心情にこそ、のちにキリスト教、社会主義運動にのめりこむ精神的基盤があることに注目する。

上京後の政太郎はキリスト教に入信し、その関係から学業も放棄して孤児院の職員として熱心に働くのだが、やがて片山潜の労働問題演説に感動して社会主義に開眼していく。ここから世の不正に悲憤慷慨する政太郎と社会主義者たちの交流が展開されていく。彼が本格的に社会主義運動に入るのは、平民社解散後、現・富士市の「平民床」を引き払い妻の若林やよと再上京し、孤児院手伝いや大道飴屋をやって貧乏生活を始めてからである。

ここから本書は、肝胆相照らす仲になった何人かの同志との交流、後進を育てていこうとする政太郎の姿を描いていく。赤羽巖穴とは他者の痛みがわかりあえる者同士として赤羽の発禁本『農民の福音』（一九二九）の発行元を引き受け、結局赤羽はこの本で禁固二年の刑に処され千葉監獄で獄死した。政太郎が彼の遺体を引き取る悲痛な場面が描かれる。石川三四郎も莫逆の友で、政太郎は石川の影響でアナキズムに傾き、大杉たちのサンジカリズム研究会参加で完全にアナキストになったという。石川は大逆事件後、運動が逼塞する「冬の時代」に欧州へ脱出するが、三四郎を見送った政太郎にはしばらくロス状態が続いた。また、政太郎は足尾鉱毒問題に強い関心をもち田中正造も晩年、政太郎夫婦の人柄に親しみその貧乏所帯に宿泊した。

そのほか、東京の高井戸に農場「百姓愛道場」を開いた江渡狄嶺、運動の援助者で政太郎とタブロイド紙『微光』を出した埼玉の自作農臼倉甲子造、政太郎が紹介して大杉らの『近代思想』に痛烈な文芸評論を書いて自死した山本飼山など、アナキズム運動へ独自のかかわり方をした人物に政太郎は親しく接した。詩人辻潤ともたちまち友人となったが、主義において対照的な二人は「世俗に毒されない魂の無垢さ、無欲で自由な人間性に於いて共通するものがあったから」と親しくなった理由を著者は説く。

政太郎は、クリスチャンでもあったので、自宅で子供たちを集め日曜学校を開いたり、寺島珠雄の名著『南天堂――松岡虎王麿の大正・昭和』（皓星社、一九九九）に詳しいように書店南天堂二階の住まいで、彼を慕う同志や若者を招いて社会主義研究会を主催したりすることが日常であった（死んでも彼の号にちなみ「北風会」は続いた）。

運動の先頭に立って引っ張っていくタイプではなく、地道な教育活動や支援活動を大切にしていた。著者の言葉によれば、乞食の名誉、清貧な生活に甘んじながら縁の下の力持ち、救世軍的立場に徹した人だった。本書には、政太郎を軸とした社会運動史、人物史を描こうとする側面もある。飯野正仁編『渡辺政太郎遺文』（私家版、二〇〇二）がある。

（おおわだ・しげる　日本近代文学研究者）

◆土筆社（一九九二）、新装版は皓星社（二〇二一）。

◇多田茂治（一九二八年生まれ）文筆家、評論家。日本近現代史に関わるノンフィクションや伝記を執筆。他の著書に『内なるシベリア抑留体験――石原吉郎・鹿野武一・菅季治の戦後史』（文元社）、『石原吉郎「昭和」の旅』（作品社）、『満洲・重い鎖――牛島春子の昭和史』（弦書房）などがある。

小松隆二『大正自由人物語——望月桂とその周辺』

自由を求めて生きた人々の多彩なアナキズムのかたち

足立元

アナキズム・ビギナーとでも呼ぼうか、大正時代の大杉栄と伊藤野枝の言葉や生き方に心酔しはじめたばかりの人々は、正しさを押し付ける現代社会の中で、自身の不自由さや腐った大人たちへの怒りを抱えているのではないだろうか。とはいえ、大杉・伊藤ばかりに（あとは辻潤も含まれるか）惹かれることは、彼らの神格化、さらにはアナキズムの党派化・商業化につながりかねない。そうしたことがアナキズムに背くものだと、内心でわかっていたとしても。

本書は、そのような「大正時代のアナキズム＝大杉・伊藤が中心」という単純な認識を崩してくれ、ビギナーを複眼的な歴史的思考へと導いてくれるだろう。大正・昭和戦前期には、有象無象のアナキストの群像がいて、必ずしも一つの主義や理念に収斂しきれない多彩なアナキズムのかたちがあった。それに気づくことは、大杉・伊藤に憧れたとしても、その二人とは全く同じように生きられない・思考できない、現在の生身のわたしたち自身を、楽にしてくれるはずだ。

本書で中心的に描かれる美術家の望月桂は、飄々とした漫画も残していて、奮い立つアナキズムとは違う、ゆるゆるしたものも含むアナキズムのあり方を教えてくれる。また、望月の目を通して映る大杉栄の描かれ方には、例えば美術展に審査が必要だと訴えるような古臭いところもあり、そうした欠点を含めた愛すべき存在として生々しい。

さらに本書では、アナキストの仲間たちとして多士済々が登場する。読んでいて笑ってしまうほど極限までに謹厳なキリスト者の久板卯之助、その正反対の今で言うダメ男のようで極めて情熱的な和田久太郎、風来坊の僧侶で放浪記を書いてベストセラー作家になってしまう宮崎安右衛門、演歌史に名前を刻む添田唖蟬坊、さらには無名の労働運動家など、とにかく自由を求めて生きた人々の面白さが随所に現れて、眩しい。そうしたアナキズムの多様性を読むことで、令和自由人として、自分がそこに連なることも夢想できるだろうか。

もっとも、自由人となることは平坦な道ではない。本書は、獄中で自殺した和田の死体を望月たちが引き取りに行く場面から始まり、アナキストたちが受けたさまざまな弾圧が描かれる。そして、アジア・太平洋戦争の翼賛体制の中で、アナキストたちが雌伏せざるを得なかった状況も、生きのびることとの現実を教えてくれるだろう。それは、戦争の前に死んだことで純粋であり続けたアナキストたちからは学べない真実だ。

さて、本書は美術書として読んでも面白い。ただし、大正時代の枠組みの「美術」ではない。本書で描かれた多彩な群像と彼ら彼女らの表現は、アナキズム、あるいは今日の眼から見たら「アート」のかたちをとった無数の芽のごときものだともいえよう。

望月たちが一九一九年暮れに結成した黒耀会は、日本史上初のアナキストたちによる美術団体だ。黒耀会が実践した無審査の展覧会と反権力的な政治的メッセージを持った作品の展示、望月による未来派風の斬新なコラージュの作品、アマチュアによる絵画を堂々と並べた点など、注目すべき事実が多い。

本書ではあまり掘り下げられていないが、黒耀会が展覧会活動に先立って演劇から活動を始めたこと、音楽会を企画していたことも、ジャンルを越境していくアートそのものであった。ジェンダーの視点でいえば、黒耀会の展覧会には女性たちも出品しており、その中には堺利彦の娘でのちに有名なフェミニズム運動家になる近藤真柄もいた。

黒耀会は弾圧によって一九二二年には活動停止し、望月の存在とともに社会運動の歴史の中で忘れられてしまう。美術史においても近年までほとんど無視されてきた。

だが今日、アートとアナキズムは、ともに自由をめざすものとして重ねて捉えられている。もはや、美術館に収められたものだけが立派なアート作品だとは必ずしも考えられなくなったし、政治的なメッセージを持つ作品が価値のないプロパガンダだとは思われなくなってきた。望月と黒耀会が今日の日本のアートにとって重要な先駆者だったと見なされることもある。

そもそも本書に描かれたアナキストたちとその表現は、重要な先駆者である以前に、都市のコンクリートの隙間から、あるいは農村の土地から出ずるもので、普通の研究者なら見過ごすほど小さく例外的な存在だ。そうした小さな存在群に目を向け、それらが総体としては大きな潜勢力でもあったことを明かした点において、本書自体がまさに一つのアート作品だった。

（あだち・げん　二松学舎大学文学部准教授、日本近現代美術史）

◆岩波書店（一九八八）。

◇小松隆二（一九三八年生まれ）　慶應義塾大学教授、東北公益文科大学初代学長などを歴任。社会政策学を専攻し、「公益学」を創始。著書に『日本アナキズム運動史』（青木新書）、『戦争は犯罪である――加藤哲太郎の生涯と思想』（春秋社）など。

向井孝『アナキストたち――〈無名〉の人びと』

自由奔放でひたむきに生きたアナキストたちの青春を活写

冨板 敦

アナキスト向井孝（一九二〇―二〇〇三）、最晩年の著書。「社会運動史上でアナがもっともいきいきとした時代、大正中期から昭和初期（一九二〇年代）の活動を、どうしても強調しなければならない」（本書二二一頁）とする向井が、数少ない史料と聞き書きから描いた、無名のアナキストたちの「ルポルタージュ」である。

本書は、向井が戦後の一九四六年、日本アナキスト連盟に加盟し、自宅に「平民新聞姫路支局」の表札を出したところから始まる。神戸から訪ねてきた戦前からのアナキスト笠原勉（一九〇六―一九六七）に、向井が「ひとりぼっちで何もでけへん」と愚痴めいた言い訳をする。笠原は、「いや、アナは一人びとり自分なんやからこそアナや。五人、一〇人、組織で動かんとアカン、何もでけへんというのはボル［共産主義者］の運動やで。やれることを自分の思いで、好き勝手にやったらエエンや」という。「そしてその日からぼくは、皆の前でアナを名乗って、姫路で一人動き出すことになった。」（二五頁）

第一章は、京阪神・中国・九州の、第二章は静岡・山梨そして部落解放運動の、第三章は大正期のアナキストが主人公。既存の社会・民衆運動史には出てこない、アナキストとしてしか生きられなかった人、そしてその隣にいた同行者や応援者を描き出す。

「ぼくは自分の求めるアナキズムの具体性は――ほとんど『普通』『当り前』、庶民の生き方、暮らし方に見られる生活日常と結びつくものなのであって、その当為性を逆に略取し支配する権力と闘う、その闘い方、方法」（七七頁）であり、「自分もまたそのような――ついに無名のまま歴史の波間に消える運動者自身として書く」（一二頁）という著者向井の記述はあたたかい。

なかでも、戦後、二十代の向井が直接知る豆腐屋の小松原繁雄、時計商の大塚徹、洋服仕立て職人の笠原勉ら、穏やかな四十代の姫路・神戸のアナキストたちとの出会いから、彼らの戦前の活動に興味を持ち、調べ描く第一章は熱い。小松亀代吉（一九〇六―一九七一）、村上義博（一九〇二―

一九五三）ら「当時一七、一八歳から二〇歳前後の若者たちを中心とした、自由奔放でひたむきに滅茶苦茶だったアナと呼ばれる青春集団のこよない一瞬をのこしておきたい」（五九頁）と、アナキストたちの大暴れの側面を活写する。

そもそも「アナキズムは、けっして勝つことへ至る道ではない。ただ負けても負けても、敗けてしまわないことにおいて、むしろそれは勝敗で決着しない闘い方、闘いのやり方としてある」（五三頁）とする向井には、「ぼく自身のアナキズム運動史」を描く背景として、彼独自の「お神輿担ぎの論理」がある。

社会運動を続けるのはむずかしい。大事なことは、その一瞬一瞬。それを神輿（屋台）にたとえて説明するのだ。「たとえば、Aという運動者がいたとする。彼はある時期のある時、全力を尽して屋台を担ぐ者であった。しかしまたある一しゅんは、傾《かし》ぐ屋台に押しつぶされることをおそれて肩を抜いた。／やがて彼は持ち場を離れ、そのまま担ぎ手を放棄し、次第に運動から遠ざかり、すべてを忘れた。／これを運動史の側からいう時、あるいは彼は脱落者である、裏切り者の逃亡者ということになるかもしれない。／だが、彼のその時の一しゅんは（略）運動総体と不可分のものとして確かに存在したのである。／別して、ぼくが運動者たらんとする時、彼の存在の意味は、バトンタッチされてぼくのものとなるだろう。」（一五―一六頁）。

本書巻頭の「余白の碑」（水田ふう）、巻末の「編集ノート」（中島雅一）と「跋――読者として」（小沢信男）は、向井の埋み火を抱えた包容力ある人となりを伝える。

なお、向井がアナキストを描いた著書に『山鹿泰治　人とその生涯（新装・増補）』（自由思想社、一九八四）、『直接行動派の時代』（『黒』刊行同人、二〇〇一）がある。さらに『小松亀代吉追悼「叛逆頌」』（同書刊行世話人会、一九七二）、『性とアナキズム――小川正夫評論集』（小川正夫遺稿集刊行会、一九七四）、『江西一三自伝――労働運動一筋の生涯』（同書刊行会、一九七六）、『墓標なきアナキスト像』（逸見吉三著、三一書房、一九七六）の執筆・編集・刊行、合本『たそがれ日記』（山鹿泰治著）の制作などは、先輩アナキストの生き方を遺した向井の大きな仕事。

向井の遺稿は「表現・発散・解放としてのアナキズム」『黒 La Nigreco（一〇・終刊号）』（二〇〇四）。詩集に『向井孝の詩』（ウリ－ジャパン出版部、一九九六）がある。

（とみいた・あつし　編集者）

◆『黒』発行所（『黒　La Nigreco』パンフシリーズ）』、二〇〇五）。

◇向井孝（一九二〇―二〇〇三）　社会運動家。本名は安田長久。関西のアナキズム運動で重きをなす。一九七四年、水田ふうがパートナーとなり、戦争抵抗者インター（ＷＲＩ）日本部の機関紙『非暴力直接行動』を編集発行。他の著書に『暴力論ノート――非暴力直接行動とは何か』（「黒」発行所）など。

妥協せず一切の権力を否定した詩人の思想と実践

竹内栄美子

秋山清の代表的著作は『秋山清著作集』全十一巻別巻（ぱる出版）でほとんど読むことができる。第一巻が詩集、第二巻が『日本の反逆思想』、そして第三巻が『ニヒルとテロル』だ。『ニヒルとテロル』の元版は、川島書店から一九六八年に、その後、泰流社から一九七七年に新版として刊行された。この平凡社ライブラリー版に収録されているのは「動と静」「ニヒリスト辻潤」「ニヒルの群像」「テロリストの文学」「テロリストと文学」「ニヒルとテロル」「ニヒリズムそしてテロリズム」「ニヒリズムとアナキズム」の八篇である。そのうち「テロリストの文学」には、管野スガ子、金子ふみ子、村木源次郎、田中勇之進、和田久太郎らの項目がある。一九一〇年代から一九二〇年代にかけて、国家権力に抵抗したアナキストたち、本書全体では、とりわけギロチン社の古田大次郎や中浜哲に繰り返し言及しながら、彼らの自由への意志とその挫折を、秋山清は心を込めて書いている。権力を否定するとはどういうことか。自由とは何か。本書には、秋山のそのような根源的な問いが詰まっている。

タイトルに使われているテロルという言葉について、現在、このテロルあるいはテロリズムという語を不用意に発することはできないだろう。一九九五年三月の地下鉄サリン事件は「無差別テロ」と言われた。あるいは、二〇〇一年九月十一日、アメリカでの同時多発テロ事件以降、「テロとの戦い」という合言葉で、アメリカ合衆国を中心とする有志連合がイスラム過激派を成敗するという構図が強化された。テロリズムという言葉は、政治的な主張を持った「暴力」を犯罪に仕立て上げる官制用語として機能するようになり、この九一一事件以降、全き悪として定位されている。思想としての「暴力」が議論されなくなってきた。

むろん暴力は許されることではない。しかし、本書において秋山清は、テロリストの所業を全的に正しいとは言わないけれども、にもかかわらず、自分の中にきっぱりとテロリズムを否定しつくさない思考が残っているという。それは、民主主義の名による支配と暴力に対してささやかなテロリズムが刃向から見取り図が「あまりにも強にたいする弱の、大にたいする小の、よわよわしすぎる対比でしかない現実」に、秋山自身が着目しているからだ。テロルそのものを考えるまえに、テロルに訴えるテロリストの発生を必然とするような時代の圧力をどう考えたらよいのだろうか。なぜ、テロリストが生まれてくるのか、ということだ。あるいは、巨大な国家権力――国家こそが合法的に暴力を駆使できるのである。軍隊や警察や死刑制度などが暴力装置としての国家に備わっている――に対して、抑圧される側がどのように自己表現するかという問いもここには含まれているだろう。ベンヤミンの「神的暴力」という概念を思い出してもいい。秋山の議論は、プチブル的な「暴力はいけません」という、表面的で一般的な道徳表現からはるかにへだたっている。

　このようなテロルと並立しているニヒルについて、秋山は、辻潤の生き方を特筆する。すなわち、窮乏のなか、虱だらけになって餓死したという悲惨な最期を踏まえて、ここにこそ辻潤の思想家としての存在を見るという。飢えても、虱だらけになっても、何ものにも従属しようとしなかった「反国家的」「反権力的」ニヒルの思考を見るというのである。辻潤が社会変革や革命運動を全否定していたこともここに関わる。権力奪取のための革命は、辻潤とはまるで無縁だった。もちろん秋山清とも無縁だった。その意味で、秋山は、ニヒリズムとアナキズムがきわめて近接した思想であると述べる。何ものにも従属せず、どんな権力からも自由であること。ニヒルとは否定であり、孤立のかなしみである。辻潤のみならず「ニヒルの群像」では、宮嶋資夫、尾形亀之助、尾崎放哉、生田春月らについて語られる。ニヒルの場所は「詩人」の場所にほかならない。

　ニヒルとテロルは、では、どう結びつくのか。権力が民衆を支配し続けているなかで、それに従属しない孤立の思想としてニヒリズムがあり、そこから否定の行動に発するものとしてテロリズムがあるということだ。ニヒルとテロルは、何よりも支配権力に対置される思想であった。

　このようにニヒルとテロルについて考え抜いた秋山清は、現実肯定の妥協精神から遠かった。一切の権力を否定し、微温的な平和的市民主義とも一線を画して、もっと苛烈に人生の意味を求めた本当の詩人だった。本書のみならず、秋山のほかの著作『日本の反逆思想』『自由おんな論争』『近代の漂泊』『文学の自己批判』などもぜひ一読されたい。

（たけうち・えみこ　明治大学文学部教授、日本近代文学）

◆平凡社ライブラリー（二〇一四）。初版は川島書店刊（一九六八）、その新版は泰流社刊（一九七七）。

◇秋山清（一九〇四―一九八八）　詩人。戦前は『詩戦行』『弾道』『詩行動』などアナキズム系の詩誌に関わる。戦後は金子光晴、岡本潤、小野十三郎らと詩誌『コスモス』を創刊。詩集以外の著書に『日本の反逆思想』（現代思潮社）、『あるアナキズムの系譜』（冬樹社）、『アナキズム文学史』（筑摩書房）など。著作集（全11巻・別巻1）はぱる出版刊。

社会運動史の検証を通じて希求される理想社会への変革

宮崎晃『差別とアナキズム――水平社運動とアナ・ボル抗争史』

関口寛

本書は、一九二二年に被差別部落民によって創立された全国水平社の活動に、アナキズムがいかに影響を及ぼし、またこれを支援したかを検証したものである。著者の宮崎晃（一九〇〇－一九七七）は、労働組合活動をへて一九三一年、自由コミューンとアナキズム革命をめざす農村青年社を結成した経歴をもつ。農村青年社結成に当たって発行されたパンフレット『農民に訴ふ』のなかで宮崎は、「農民自身による自給自足・共産・相互扶助を三大眼目とする経済的直接行動」を訴え、理論と実践を架橋するあらたなアナキズムの活動を展開した（三原容子「農村青年社と現代」『農村青年社 その思想と闘い』、広島無政府主義研究会、一九八八年）。数年の後、弾圧によって農村青年社は解体されてしまうが、こうした経験が本書執筆の背景にあったことは押さえておくべきだろう。

戦後、水平運動史研究については多くの研究が積み上げられてきた。当初はボルシェビキ派（日本共産党支持派）の全水青年同盟を正統とする枠組みが提唱され、七〇年代以後はこれを批判する形で全水本部派（あるいは社会民主主義派）や政府が中心となって推進した融和運動への再評価という形で研究が進められた。これに対して宮崎の追求したアナキズム派は、右のいずれの潮流にも収まらない「異端」である。正当にとりあげられることのなかったアナ派の活動を掘り起こし、その意義を訴えた本書の存在は、今なお際立っている。

全国水平社の創立当初、アナ派は組織内から少なからぬ支持を得ていたと考えられる。だが次第に論争をつうじて台頭したボル派や、政治運動に進出した社民派に勢力を奪われ、その存在自体が忘却されるほどに弱体化していった。どうすれば現実のなかで理想的なアナキズムを展開しうるのか。おそらく宮崎は、差別との戦いという大義を掲げた全水アナ派の活動に共鳴しながら、その検証作業を通じて思考実験を繰り広げていたのではないだろうか。こうした姿勢から、本書には今日の常識や通念をも相対化する視点が提示されている。

一九二〇年代をつうじて水平運動の内部ではアナ派とボル派の対立が深刻化し、このために年次大会の開催が困難となるほど激烈を極めた。宮崎は一貫してボル派に批判的で、また社民派に「転向」したアナ派活動家への評価も厳しい。とりわけ、アナ・ボル対立をつうじて戦わされた様々なビジョンの検証は、興味深い。アナ派は被差別部落民を「民族」と捉え民族解放運動を主張したのに対し、一方のボル派は史的唯物論に沿って「身分」と捉え階級闘争への合流を唱えた。こうして本書は、社会運動がアイデンティティをめぐる戦いであることを明るみに出す。新しい社会運動の研究者、A・メルッチの社会運動論に連なる視点である。

また「征露丸」の製造・販売のかたわら社会運動を展開した木本凡人は、大阪・天王寺の自宅を宿泊や生活の場として社会主義や水平社の活動家に提供することで、社会運動のハブ拠点の機能を果たした。かかる共同生活には、宮崎が社会運動の理想とする「相互扶助」の精神を看取しうる。宮崎の研究をさらに発展させた三原容子「水平社運動における「アナ派」について（続）」（世界人権問題研究センター『研究紀要』第三号、一九九八年三月）によれば、アナキストの間では仲間に宿泊と食事を提供し、共に生活することが半ば当然とされていたことが窺われる。社会運動をともにする者の共同生活とそのネットワークの広がりのなかに理想社会が実現される、という認識が共有されていたのであろうか。

社会運動はしばしば観念遊技に陥りがちであるが、それが現実世界とどのように連結されることで変革する力を持ちうるのか。宮崎が追求したアナキズムの理想は、社会から乖離してしまった現代の社会運動とは異なる形態の運動を構想するための、豊かな材料を提示しているように思われる。古くて新しい本として、ぜひ本書を手に取って読んでもらいたい。

（せきぐち・ひろし　四国大学経営情報学部准教授、歴史社会学）

◆黒色戦線社（一九七五）。

◇宮崎晃（一九〇〇―一九七七）　社会運動家。黒色青年連盟などに参加、日立製作所亀戸工場のストライキ支援として久原房之助邸を襲撃して逮捕される。その後、農村青年社を結成、無政府共産党事件の余波で検挙される。その獄中でドイツ語を学び、出獄後にアスター『哲学史』（洛陽書院）を翻訳。戦後は自ら関わった運動の資料収集・研究に従事した。

寺島珠雄『南天堂——松岡虎王麿の大正・昭和』

アナキズム文化の諸相をつぶさに描く渾身の大著

竹内栄美子

寺島珠雄の代表作であり、アナキズム詩史の必読文献。参考文献、図版一覧、人名索引まで含めて四六六ページの大著、発行は一九九九年九月十六日で、あとがきの日付が一九九九年七月十日、本書校正中の七月二十二日に寺島は亡くなったのだから、このあとがきが絶筆となった。

寺島のことは、小沢信男が『通り過ぎた人々』(みすず書房)のなかで書いている。「年少時より生え抜きのアナキスト詩人」「裏長屋の剣客のような起居の人」。新日本文学会の事務局長だった小沢信男が向井孝とともに推薦人になって、寺島珠雄は新日本文学会の会員となり『釜ヶ崎語彙集抄』を発表、アクチュアルな記録文学、共同制作の見本となった。小沢によれば、寺島は、一九四五年八月の敗戦時に満二十歳、戦時逃亡罪によって横須賀海軍刑務所の中にいた。戦後も労働運動に没入したり、なぜか網走番外地や長野無番地にもいたりして、塀の中で習得した袋貼りの作業に熟練、個人誌『低人通信』はしばしば手作りの封筒で届いたという。国民健康保険すら所持せず、年少のころより辻潤に傾倒していた寺島は、国家の枠組みから外れたところに身を置いていた本物のアナキストだった。それゆえか熱烈なファンに囲まれていた。

そのような寺島珠雄が取り組んだ本書は、大正期から昭和初期にかけてアナキストやダダイストが集まった白山上の南天堂書房を舞台とした多様な人間たちの群像劇である。いまでも同じあたりに南天堂書房はあって、本郷から白山近辺を歩く文学散歩では立ち寄らずにはいられない「名所」であろう。中野重治『むらぎも』にも出てくるし、萩原恭次郎、岡本潤、壺井繁治、小野十三郎ら『赤と黒』の同人たちや、若いころの林芙美子や平林たい子を追いかけていると必ず登場する文学史上の重要な場所である。ただし、現在の南天堂は、松岡南天堂とは縁が切れていて、店名が存続しているだけのようだ。

一階が書店で、二階がカフェーの南天堂書房は、サブタイトルの松岡虎王麿という人物が主人であった。虎王麿は、父である松岡寅男麿から事業を受け継ぐ。トラはトラでも、

「虎」と「寅」と漢字が違っていて、長男の虎王麿に続いて、寅之丞、寅三郎、愛圀（通称あい子）という弟妹がいた。父寅男麿は、神田で古本屋を始めたのがきっかけで書籍商となり、はじめ有明堂を開き、続いて南天堂の名称となり、息子虎王麿が新南天堂を開店するのが数え歳で二十八歳の時。父の代から書き始められた本書は、南天堂にまつわることをとにかく調べに調べて、余すところなく書いていく。情報源は、文献のみならず問い合わせやインタビューも多い。寅三郎の同級生だった生物画家の牧野四子吉、牧野の友人宮山栄之助、新日本文学会で寺島と一緒だった脚本家の須藤出穂、妹愛圀からの書簡など、寺島の人との縁やつきあいは南天堂探求に繋がり南天堂物語を豊かにする。

例えば、保護検束されずに油断した大杉栄が虐殺されたあと『労働運動』が大杉と伊藤野枝の追悼号を組んだ時、中浜哲は「杉よ！　眼の男よ！」を掲載した。秋山清は、ギロチン社事件で死刑となった中浜の隣村に生まれたが、後年、秋山が来阪したさい土佐堀川から対岸を眺めて中浜を偲ぶ姿を寺島は書き留めている。中浜哲、秋山清、寺島珠雄に流れているものはアナキズム詩人の魂である。あるいは、長靴を履いていた常連客の萩原恭次郎と岡本潤が南天堂の二階でコサックダンスを踊る場面。当時、グラモフォンの蓄音機を使っていたと虎王麿は語っている。

こんなエピソードをふんだんにちりばめた本書は雑誌メディアの動静も伝える。『赤と黒』のほか、村山知義らの『マヴォ』、野川隆らの『ゲエ・ギムギガム・プルルル・ギムゲム』、友谷静栄と林芙美子の『二人』、南天堂が発行元となった『ダムダム』、中野重治らの『驢馬』、アナキスト詩人の拠点を目指した『太平洋詩人』『文芸解放』『バリケード』などはとりわけ注目される。一九三〇年十二月発行の『文芸抗争』創刊号は、発売所が南天堂書房だが、昭和の金融恐慌の煽りを受けた虎王麿一家は、累積赤字の南天堂から一九三〇年末に夜逃げ同様に離れたのだった。

絶筆となった二〇〇字余りのあとがきは「わが『南天堂』、大正・昭和――松岡虎王麿、庭内に這い松などありしや知らず、最後まで直しを入れて、ガンバル。」と締めくくられる。本編はもちろん、このあとがきをぜひ読んでほしい。機械的に片付けていく仕事とは違って、寺島にとって『南天堂』を書くことは文字通りその命を削って最後の最後まで真摯に取り組んだ生涯の仕事だった。本書によって、わたしたちは大正・昭和のアナキズム文化の諸相を隈なく見ることができる。感謝している。

（たけうち・えみこ　明治大学文学部教授、日本近代文学）

◆皓星社（一九九九）。

◇寺島珠雄（一九二五－一九九九）詩人。本名は大木一治。東京で生まれ千葉で育ち旧制中学を中退、海軍では戦時逃亡罪で服役した。戦後は大阪・釜ヶ崎で働きながら詩作。晩年は尼崎で暮らした。他の著書に『どぶねずみの歌』（三一書房）、『私の大阪地図』（たいまつ社）、『アナキズムのうちそとで――わが詩人考』（編集工房ノア）など。

文学を通じて農民自治の実現をめざす運動史

蔭木達也

　アナキズムと農村との関わりは長いが、関心を向けられることが少ないように思う。一九一〇年に赤羽巖穴が書いた『農民の福音』は、日本ではじめて、農民を主人公としたアナキズムを論じたものといえるだろう。一九二一年には『労働運動』同人のアナキストが小作争議に関与し始め、雑誌『小作人』が出されている。本書は、同じ頃に萌芽した農民文学をめぐる運動がアナキズムと関わり、その先に「アナキズムの一個の現実的な、時代的な発展形態」（一三七頁）であるところの農民自治主義が提唱されるに至るまでの経緯を記したものだ。この主義は、日本の農村を基盤として、国家を廃して地域自治体の連合により新しい社会を構築するための運動理論である。

　本書の著者犬田卯は、農民作家であるとともに農民運動家であり、農民自治主義の主唱者であった。「大正昭和農民文学運動史」が本書の中核をなす犬田の論文の標題であり、本書が編者小田切秀雄により「文学史」と題されているのは適当でない。そこに書かれているのは農民文学をめぐる「運動史」だからだ。

　本書に基づいてその展開をたどってみよう。一九二二年のシャルル・ルイ・フィリップ十三周忌記念講演会をきっかけとした研究会から、関東大震災をはさんで農民文芸会が生まれ、二六年の『農民文芸十六講』の出版から翌二七年の雑誌『農民』発刊に至る。並行して二五年に、土を慕ふものの会を前身とした農民自治会が結成され、両者は二八年に合流して第二次『農民』を発行する。しかしその後、理論と運動方法を巡って対立と分裂が繰り返されることとなる。マルクス主義に流れた人々が抜け、二九年に改めて第三次『農民』が発行されるが、徐々にアナキズム色が強化されて犬田ら一部の人々がさらに追い出された。三一年に鑓田研一が第四次『農民』を発刊するが続かず、第三次『農民』もいつしか発行されなくなっていた。犬田は三二年創刊の『農本社会』を経由して同年冬に第五次『農民』を復活させ、農民自治主義の具体的内容を論じるようになる。しかしこれも度重なる発禁の結果、翌三三年夏には廃刊のあえなきに至り、ここに運動は潰えた。のち三八年末に農民文学懇話会が結成されたが、これについて犬田は、文学者を使って政府広報をするという性質のものであることを示唆した上で、辛辣な評価を下している。全編を通じて、関係する人名や雑誌、書籍名がつぶさに記録されており、同時代の人間関係と運動の展開の経緯、それに伴う緊張感がよく伝わってくる。

犬田は茨城の牛久の農家の長男として一八九三年に生まれ、一九一五年に小川芋銭の取りなしで上京し、一七年から文筆家としての生活を始めた。一九年に住井すゑと結婚。住井は高群逸枝と同様、生田長江の斡旋で二一年に小説を出版し、後年『婦人戦線』にも参加している。以来、犬田は活発に執筆と農民運動に取り組んだ。「運動史」にあるような雑誌の発行や農民運動理論の研究と並行して、「土の芸術」を旗印に数多くの小説を発表している（そのほとんどは筑波書林（旧・茨城図書）から再版されている）。しかし、政府の弾圧の強まりにより活動が立ち行かなくなり、三五年に一家離京して故郷の牛久へ戻り、三七―三八年ごろとされる本書の原稿執筆を最後に筆を擱いた。失意のうちに戦中戦後を過ごし、一九五七年に没した。

言論統制の強い時代に書かれた「大正昭和農民文学運動史」は、戦中はもとより戦後もしばらく出版の機会を得ることができないままだった。『農民哀史』で知られ、農民自治会の運営に尽力した渋谷定輔が、一九五五年にたまたま犬田を訪ねたときに原稿を見つけ、文芸評論家の小田切秀雄の協力によってようやく日の目を見ることとなった。

本書の後半は小田切による「日本農民文学史の展望」という論稿である。犬田の論文への「解説」という体裁をとってはいるが、犬田の「農民文学運動史」を「農民文学史」という観点から切り取り、当時のプロレタリア文学とそれに対抗した犬田の立場を相対化しようとしている。それゆえ、「運動史」的側面が捨象されている感は否めない。とはいえ、主義を超えた小田切の仕事のお陰で農村とアナキズムをめぐる戦前の思想の最終的な到達点が今日まで参照可能な形で残されたのであり、犬田および農民文学「運動」の再評価はむしろ、本書を読む未来の人々に託された課題といえよう。

（かげき・たつや　慶應義塾大学経済学部助教、社会思想史）

◆農山漁村文化協会（小田切秀雄編、一九五八）。

◇犬田卯（一八九一―一九五七）　小説家、農民運動家。文学による農民解放を志し、農民文芸研究会（のち農民文芸会）や農民作家同盟などを組織、雑誌『農民』などを編集した。小説『土に生れて』『土にあえぐ』『村に闘ふ』『土にひそむ』などは筑波書林の「ふるさと文庫」で読める。妻は小説家の住井すゑ、二女はジャーナリストの増田れい子。

克明な回想を通して日本のアナキズム史を描く

林　彰

近藤憲二（一八九五―一九六九）の著書『一無政府主義者の回想』は、前編が「思い出すまま」として、大杉栄・渡辺政太郎・久板卯之助・和田久太郎・伊藤野枝・コズロフについて記述している。これは一九二八（昭和三）年ごろ雑誌『改造』に載せたものや、一九四六年ごろアナキスト連盟の機関紙『平民新聞』に載せたものをふまえている。後編の「私の覚え帖」は、一九五七年に病気となり、少し具合がよいとき一年ほどで叙述したものである。

兵庫県出身の近藤憲二がアナキズムに関心をもち始めたのは、早稲田大学専門部政経科在学中の一九一四（大正三）年であった。すでに政治に関心をもちつつあった近藤は、この年の始めに海軍の収賄問題のシーメンス事件に関連して、東京・両国での山本権兵衛内閣弾劾演説会に行き、翌日の国会議事堂前のデモに初めて参加しており、大正デモクラシー運動の渦中にいたのである。同年十一月、近藤は大杉栄の論文集『生の闘争』の新刊書を購入、彼の人生を左右することになる。『生の闘争』では、「生の創造」「鎖工場」「正気の狂人」などの論文が彼の心を根底から揺さぶり、私有財産制度の廃止、自由共産制が自分の考えを決定的なものにしたという。そして直ぐに大杉に会いに行き、平民講演会に出席。そのとき出会った渡辺政太郎の「研究会」（北風会の前身）に参加し、和田久太郎・望月桂・水沼辰夫・久板卯之助・村木源次郎・添田平吉（唖蟬坊）らを知る。近藤は生涯大杉を師事していくが、当時は思想的父を大杉栄・荒畑寒村に、思想的母を渡辺政太郎に求めた。彼が渡辺宅に泊まったとき、貧乏所帯ゆえ余分な布団はなく、寒くないかといって「私の足を風呂敷でつつんで抱いて寝てくれた」といい、近藤は「ほんとうに社会主義運動の中に生死しようと決心させたのは、渡辺さんの愛であった」と述べている。こうして近藤憲二はアナキズム運動に献身していく。

次に、本書の特色を三つあげてみたい。第一は、近藤の叙述、そして彼の実践運動が、そのまま日本アナキズム史を辿っているということである。渡辺の死後、近藤は「研究会」の世話人を続け、大杉らの労働問題座談会と合同する。これが「北風会」となり、その後「東京労働同盟会」に改称。それ以来大杉と行動を共にする。その活動は、労働運動における「演説もらい」の実践、『労働運動』の発刊（第一次〜第三次）、日本最初のメーデーへの参加（一九二〇年五月）だけでなく、社会主義同盟の発起人となり、さらに、アナ・ボル対立の時代に入っても、九州八幡の同盟罷業演説会への参加など多岐にわたる。大杉の死後は第四次『労働運動』を創刊している。

だが、当時アナキズム系思想団体は増えながらも、運動全体は後退を余儀なくされていく。一九二六年一月、近藤は黒色青年連盟に入会するが、陣営内の対立で翌年脱退。アナキズム運動内部では、純正アナ系とアナルコ・サンジカリズム系の対立が続いた。それどころか暴力行使などもあったことで、運動は衰退していく。また、近藤らは中国の同志ともつながりがあり、一九二七年に沈仲九・張景・衛安仁・張易らと知り合う。当時は岩佐作太郎らが上海の国立労働大学に招かれ中国との関係が深まった時代だった。戦後においても近藤は、日本アナキスト連盟の結成に尽力し、機関紙第三次『平民新聞』の「発刊のことば」を書き、中心メンバーとして活躍していくのである。

第二の特色は、本書の文体が平易で会話調もあり、読者に読みやすいものとなっていることである。会話調の記述がどれだけ真実を伝えているかは不明だが、記憶力がよく、メモを付けていたのではないかと思う。

そして第三の特色は、近藤が自身のことについてほとんどふれていないということである。これは本書の序文を記した荒畑寒村も述べており、「運動上における著者の個人的な主観、対人関係、特に女性との交渉について」はふれておらず、もの足りないとした。それゆえ、近藤の結婚や再婚はいつなのか、堺利彦の娘である堺真柄《まがら》と再婚したのはいつだったかは判然としない。

近藤憲二のアナキズム運動史における位置づけは、どうみたらよいであろうか。彼は理論を説く人間ではなく、口数は少なかったが、要点をつく言葉を発したり、組織の重石のような位置にいた、と大澤正道は評している。そのような人物像は、『大杉栄全集』全十巻を編纂・刊行したこと（一九二六年）や、仲間への面倒見のよさにも、その一端が現れている。本書は日本アナキズム史にとっても価値のある著書であり、そして本書を著した近藤憲二は、日本アナキズム史を後世に伝える語り部の一人ともいえる。

（はやし・あきら　日本近代思想史）

◆平凡社（一九六五）。

◇近藤憲二（一八九五－一九六九）社会運動家。日本社会主義同盟設立に参画。大杉栄の影響を受け、その横死後はアルス版『大杉栄全集』（全10巻）の刊行に奔走。のち堺利彦の長女・真柄と結婚。戦後は日本アナキスト連盟を結成して書記長を務めた。他の著書に『私の見た日本アナキズム運動史』（麦社）がある。

激動の時代を生きた巴金の情熱と苦悩を読み解く

山口　守

二十世紀中国文学の著名な作家であるばかりでなく、中国アナキズム運動においても特筆すべきアナキスト、巴金（パー・チン、一九〇四―二〇〇五）の生涯と作品を、アナキズムと文学の往復運動という視点から論じた研究書である。

本書の特徴は、これまで中国文学の網をかぶせられ、軽視されてきた巴金のアナキストとしての活動の軌跡を、欧米各地の図書館で収集した貴重な書簡を解読して、アナキズム思想の遍歴として実証的に明らかにした点にある。そこに浮かび上がるのは、自由・平等・互助を希求するアナキズムの理想を一途に追い求める情熱を持ちながら、そのアナキズム理解によって、逆に明確になる理想と現実世界の落差に直面して苦悩する巴金の姿である。アナキズムを実現から遠いユートピア思想ではなく、不合理な現実社会を変える変革の指針と捉える立場から生まれる苦悩だったと言えよう。巴金はそこから文学の道に足を踏み入れるのだが、その一方、文学創作における苦悩は絶えずアナキズムに立ち戻らざるを得ない事態を招来する。いわばアナキズムと文学の往復運動が、巴金をアナキストとしても作家としても成熟させた姿を本書は描き出す。

そもそも中国の作家というイメージとは裏腹に、巴金の作家としてのスタートは一九二〇年代後半のフランス留学時代にあった。パリでエマ・ゴールドマンら欧米のアナキストと書簡を交わしながら、左右両派のナショナリズムに支配される中国で、アナキストとして生きる苦悩や葛藤を克服する道を模索していた巴金は、アメリカにおけるアナキスト弾圧の象徴的な事件であるサッコ＝ヴァンゼッティ事件の無実の死刑囚、バルトロメオ・ヴァンゼッティと個人的に通信を開始する。だが、間もなくヴァンゼッティが死刑に処せられ、その衝撃から文学に救いを求めるように最初の小説『滅亡』の執筆を開始する。貧しき人々、抑圧される人々と共に生き、自由や平等の実現を目指すヴァンゼッティたちアナキストが、その理想ゆえに処刑される不条理を、巴金はアナキストとしての自分の苦悩と重ね合わせる。

一方でまたフランスから中国へ戻った巴金が、現実の中国で直面する問題を本書は様々な視点から取り上げる。当初巴金はアメリカの華人アナキストグループと協同で雑誌発行を担い、中国アナキズムを世界へと接合する努力を継続し、また福建や広東で農村教育や農民運動を展開するアナキストとの交流が続くが、次第に文学世界に活動の中心を移していく。初期の代表作『家』では、近代になっても中国社会に根深く残る封建制を厳しく批判して、恋愛や思想の自由を訴え、若い読者の圧倒的な共感を呼び、「愛と革命の文学」の作家となった。だがその一方、その革命が現実社会では共産党と国民党の左右二大勢力の対立構図の中で進行していることに焦燥を覚え、文学に沈潜しながらも、アナキズムへの情熱を堅持していた。

その姿が顕現するのが、一九三六年中国左翼文壇を二分した国防文学論争である。コミンテルンの指示を受け、抗日戦争を背景として、中国文学を「国防」の枠内に押し込めようとした中国共産党系の文学者に対して、魯迅や巴金や胡風ら独立左翼の文学者が自立性と自主性に基づく大衆文学を主張したことで起きた論争だが、この中で共産党系の文学者が巴金をフランスやスペインのアナキストやトロツキストと同じく卑劣で反動的だとして人身攻撃を加えたことに対して、巴金は毅然としてフランス、スペイン、及び中国のアナキストの革命活動への支持を明確に表明した。特に同時代に進行していたスペイン内戦を、アナキストの立場から革命として中国に紹介する活動を熱心に行い、スペイン内戦やスペインのアナキスト関連の翻訳を多数出版している。抗日戦争とスペイン内戦が共に自由を求める戦いとして共通点を持つと考え、アナキストとして熱烈に支持表明しているのである。このように一九三〇―四〇年代の激動の時代にあっても、巴金が国家や民族や言語を越える人類解放の思想としてアナキズムに傾倒していたことは間違いない。

アナキストであり作家であった巴金の思想や文学の軌跡が、二十世紀中国において理想主義の光と影を表裏一体のものとして映し出したことを知ることで、アナキズムの持つ純粋な輝きと共に、現実の闇の中を歩み通す強い意志の必要性を理解できるだろう。

（やまぐち・まもる　日本大学文理学部特任教授、中国現代文学）

◆中国文庫（二〇一九）。

◇山口守（一九五三年生まれ）　日本大学文理学部特任教授。専門は中国現代文学、台湾文学。本書の他に中国語による著書『黒暗之光――巴金的世紀守望』（上海：復旦大学出版社）、『巴金的世界』（共著、北京：東方出版社）など。訳書に『リラの花散る頃（巴金短篇集）』（JICC出版局）、史鉄生『遥かなる大地』（宝島社）、白先勇『台北人』（国書刊行会）、阿来『空山』（勉誠出版）など。

本当の「前衛」を求めて

卯城竜太

イギリスのパンクバンド「セックス・ピストルズ」にはアナーキーな言葉が溢れている。いま振り返れば、それがアナーキズム的なものに触れた最初の体験だったと思う。僕は高校を中退する前からバンドをやっていた。パンクが好きで、何かすでにぶっ壊れてるようなもの、成立していないようなもの、成熟もしていないようなものがすごく純粋に見えていた。子どもの頃はゴッホが好きで、彼の作品が美しく見えたのも、そういう感覚だったように思う。パンクやアートには、そもそもそういう社会からの距離感としてのぶっ壊れている感覚を無意識に今も感じている。

その後、アナーキズムの思想を知ることを通じて思うのは、無政府になったとき、誰が公的なものを管理するんだろうかということ。公益的なことを果たすものは残るだろうし、不特定多数で共有するものはたくさんある。その管理を誰がどうするか、アナーキーな制度とはどうあるべきか。

Chim↑Pomは、そういうことを意識していろんなことをやってきている気がする。例えば二〇一七年、僕らは東京・高円寺のアトリエ内に道をつくり、ドアを壊して公道に繋げたことがある（「道が拓ける」展）。そこはChim↑Pomのアトリエ内だけど、24時間、誰でも入れる、ルール無しの公共空間。組織を運営したり、公共の場に何かをつくったりするとき、結局何らかのルールをつくるとか、誰が管理するのかという話になるが、そういう発想とは違うことをできないか。そんなことをずっと考えている。

僕は美術教育を受けずに、バンド活動の延長のようにChim↑Pomを始めた。僕らは基本的にスキルのない素人集団だったから、外でハプニングを起こして映像を撮った。そうして、街や道でパフォーマンスを始めたら、否応なく公共という意識が芽生えてきた。

ＪＲ渋谷駅から京王井の頭線に抜けるコンコースにある岡本太郎の『明日の神話』という巨大な作品に絵に付け足したことがある。あのときのことを数年後、メンバーのエリイが「『明日の神話』は私のだから」と言っていた。パブリックアートとはそういうものだと思う。そういう発想は、アナーキズムに近いのではないか。

世の中はいま、すごく難しい過渡期にあると思う。例えばかつてのChim↑Pomみたいに欲望に忠実に行動すればいいんだとか、「アクションあるのみ」というような発想は、例えばアメリカのQアノンによる議事堂襲撃とかにも接近する。だから、いま闇雲にアクションを誘うことには違和感がある。そういう意味では、アナーキズムも端的なイメージだけで語ると危ない時代になってきているのではないか。

一九六〇年代の反芸術パフォーマンスをまとめた名著として黒ダライ児の『肉体のアナーキズム――１９６０年代・日本美術におけるパフォーマンスの地下水脈』(grambooks)という本がある。これがすごく面白い。一九七〇年代まで日本各地にどういうパフォーマンスや前衛美術があったかが詳細に書かれている本だけど、いま「アクションあるのみ」ということへの違和感から、この本を読み直してみた。彼らは超ラディカルなんだけど、結局、政治的な変化は誰も望んでなく、ただ面白かったからやっていたとまとめられている。政治的な変化も望まずに、かといってマーケット（市場）もなかったから、無目的に活動していたのはアナーキズムとしか言えないと、この本には書かれている。

でもいま、そういう考え方に対して懐疑的にならなくてはいけないと思う。なぜなら、いまの状況が無目的にアナーキーでＯＫというわけにはいかないから。大正期の美術を知って思ったのは、彼らは違うなということ。大正期のアーティストたちは、当時の強権的な圧力の中で、戦略的に苦しみながらやっていたと思う。それこそが前衛だろう（松田修との共著『公《こう》の時代』朝日出版社参照）。

日本の美術史に前衛というものをどう位置づけるかということは論争があるが、美術評論家の椹木野衣さんは、日本には前衛なんてないという。つまり、歴史が積み重なっていくことで、そのときの前衛が生まれるというよりも、ラディカルなものが生まれてはすぐ忘れられてそれを繰り返しているということ。椹木さんは、彼らはみんな前衛じゃなくてラディカリストだったという。

でも僕は、大正期のアーティストたちはマジで前衛だったんだと思う。だから、本当の意味での前衛というものを考えないと、例えばQアノンとの違いが自分の中で明確になってこない。そういう意味でも、大正期の前衛美術は実に面白いし特筆に値すると思っている。（談）

（うしろ・りゅうた　Chim↑Pom）

近代日本の民衆運動に影響を与えた六四六一名を立項

『増補改訂　日本アナキズム運動人名事典』刊行への道のり

冨板 敦

「安藤昌益・田中正造から埴谷雄高・水木しげるまで収録人数三〇〇〇名。革命運動・労働運動はもとより文学・芸術・思想運動のすべてを網羅し、朝鮮・中国・台湾に及ぶ。あっと驚く新発掘、新視点を多数収載！」と題した、八八〇頁の大著『日本アナキズム運動人名事典』が、二〇〇四年四月に公刊された（本書の元版）。日本アナキズム運動に直接関わった人物だけでなく、近代日本の民衆運動に影響を与えた自由思想家や社会運動家を取り上げている。どのページを開いても、そこには同調圧力に屈せず、忖度（おもねり）を一切しない「アナキスト」の人生が残された。

一九九八年に編集委員会が結成されてから足かけ七年、在野の活動家・研究者を中心とする九三名が三〇九八項目を執筆。ただし立項された人物の大半は、これまでどの人名事典にも取り上げられていない無名の活動家たちである。

多くの関連資料に基づいて立項

「論より証拠」、「実事求是」をモットーに、明治・大正・昭和（一九四五年日本敗戦以前）の機関紙誌類を資料の基本とし、被立項者の「文献」項目を充実。そのために、同書の編集委員会は、元版をつくるにあたって、大杉栄の『労働運動』、昭和初期のアナキズム労働運動機関紙である『自由連合』、『自由連合新聞』（自連系）、『反政党新聞』『黒色労農新聞』『労働者新聞』（自協系）、同じく昭和初期のアナキスト結社の連合機関紙『黒色青年』、また古田大次郎らの『小作人』など、主要なアナキズム機関紙・誌の人名索引をつくるところから作業をはじめている。『北海道社会運動史』（渡辺惣蔵）、『釧路文学運動史』（鳥居省三）、『農民自治運動史』（大井隆男）、『名古屋地方労働運動史』（齋藤勇）、『京都地方労働運動史』（渡部徹）、『広島県社会運動史』（山木茂）、『逆流の中で　近代沖縄社会運動史』（浦崎康華）など都道府県別各運動史から、ほかに『日本無政府共産党関係検挙者身上調書』（刑事局思想部、一九三六年）、『司法研究　第八輯　報告集六』（司法省調査課、一九二八年）をはじめとする数多くの警察資料からも人名を抽出。

戦前のアナキズム文献を所蔵する在野の方々からの史料の提供（堅田精司「北海道社会文庫通信（全二〇〇〇号・一九九四年―二〇〇二年）」ほか）があり、アナキズム文献センター（富士宮）、大阪社会運動協会、名古屋平民文庫の書庫などから、多数のアナキズム紙誌が発見された。

人物ごとにファイリングして原稿化し、典拠を明らかにしており、読者はその人物を改めて調べることができる。

増補版の二つの特色

元版刊行と同時に、一〇年後の増補版刊行を期して「トスキナアの会」が結成された。『トスキナア（準備号）』（ぱる出版気付　二〇〇四年九月）には、「魚河岸のアナキスト」といわれた小倉三郎〔尾村幸三郎〕の「九十四歳アナキストのアドバイス」、ほかに「アナキストとは、アナキスト気質をもつ人のことでしょう。だから、一緒に運動することはむずかしく、一緒に事典をつくることもむずかしい。このむずかしい事業をなしとげた編集者のみなさまに、敬意をささげます。二〇〇四年九月八日　鶴見俊輔」という珍しい手書き原稿も掲載。雑誌『トスキナア』（皓星社発売）は一〇年間（全二〇冊）の定期刊行を経て、二〇一九年本書の刊行に至る。

本書では、アナ派の労働組合である信友会（活版印刷工組合）、正進会（新聞印刷工組合）、芝浦労働組合、さらには農民自治会などの機関紙誌の提供を新たに受け、元版に倍する六四六一名を立項する（執筆者は一三六名）。

あらためて、この事典の特色の一つに、他の人名事典に出てくる著名人については、アナキズム運動にかかわる部分だけを記述していることがある。たとえば「太宰治」（澤辺真人筆）はアナキストとしての側面を鮮やかに切り取っている。また、「葉山嘉樹」（拙筆）は、プロレタリア文学作家以前、名古屋でのアナ派労働運動の部分のみで構成した。

二つ目の特色として、編集委員・鶴見俊輔の提案で「〝アナ気質〟の人物」を掬い上げ、〝日本アナキズム運動〟を広く定義した。具体的な人物に明石順三、アンリ・マスペロ、良寛、ラナルド・マクドナルド、大前田栄五郎、菊池徳、国定忠治、小林トミらを立項している。

アナキスト詩人・秋山清を偲ぶ会（コスモス忌・一九九八年一一月一四日）で、講演者の鶴見俊輔が壇上から「アナ系の人名事典をつくるのなら、私も参加します」との発言から始まり、二一年かけて増補版を完成させるまでの経緯は本書の「後記」に詳しい。

（とみいた・あつし　編集者）

◆日本アナキズム運動人名事典編集委員会編、ぱる出版（二〇一九）。

秋山清

生きているかぎり、否定しても否定しても、それをつくすことは到底不可能であろうという予感とともに、だから否定することの上に立って、個人としての我を侵かす何ものをも、いささかのものたりとも、拒否するという態度、生き方として今はこれしかないのだと考えること、のそこにだけ自由があるというのは、心弱い発言であろうか。

秋山清「ニヒリズムとアナキズム」(『麦社通信』一九七〇年二月号)
出典:『ニヒルとテロル』(平凡社ライブラリー)

5

戦後世界のアナキズム

その思想と運動の軌跡

ふたつの大戦を経た世界で、アナキズムはどのような展開を見せるのか。民主的な社会が広がるなかで新たな問題と格闘し、社会と個人のあり方を問うアナキストたちの思考と実践を読む。

アルベルト・バーヨ『ゲリラ戦教程』

アナーキーな戦術が示す「新しい人間組織」のかたち

友常 勉

アルベルト・バーヨ「ゲリラ戦教程（全訳）」はひとつの社会組織論である（原題は『ゲリラ戦のための一五〇の問い』）。たとえば次の項目。

「7 ゲリラ部隊の最高の速度、上陸作戦の時期、その方法はいかにすべきか？

ゲリラ部隊の最高速度は、最も遅い隊員の最高速度に合致させるべきである」

「8 部隊のなかで比較的足の遅いゲリラはどうすべきか？

ほぼ同じ歩調の隊員から成る独立した、比較的足の遅い部隊が形成される」（四頁）

「17 ゲリラ部隊の隊員は互いにいかに行動すべきか？

全員がきわめて仲の良い友人、あるいは少なくとも親密であるべきである。不快な冗談はすべて禁じなければならない。貧しい内容の冗談は隊員を分裂させ、彼らの間に不快な感情を作り出し、団結の精神を弱めることになる」（七頁）

この社会組織論の標準のひとつは「弱者」である。部隊の多様性が前提になっている。したがって「不快な冗談」の禁止の項目は、道徳的規律であると同時に、多様な差異性が差別にならないような目配りでもある。さらにゲリラ戦争の核心。

「25 われわれはいつ敵と闘うべきか？

これこそゲリラ戦争の主要な問題である。人々が記憶し、実践しなければならない規則は、完璧なゲリラは敵を闘いに招いたり、敵の土俵で闘うことはけっしてないということである。（…）

完璧なゲリラとは、自らの同志の生命に気を配り、彼らを決して敵の銃撃にさらさず、偽装と機動性によって敵の目を逃れようとする人をいう。他方、もしゲリラ指導者が毎日、敵の行動に悩ませられているならば、彼はいわゆる「メヌエット」戦術、つまり、敵が退けば前進し、敵が前進すれば後退する戦術をとる

べきである」（二〇—一二頁）

闘争そのものを自己目的化した無用な挑発はしない。多大な損害を招くような正面戦は避ける。そもそも「同志の生命に気を配」る。では「死者および負傷者はどうするか？」。

「まず負傷者を交戦地区から運び出し、次に手当ができる場所につれて行かなければならない。死者は、もし状況が許すならば、埋葬せよ。時間もなく場所もない場合には、死者をおいてゆくという非情な任務に耐えなければならない。死者は時には見棄てなければならないが、負傷者は絶対に見棄ててはならない」（一八頁）

交戦時においても「負傷者は絶対に見棄ててはならない」。つまり、必要があれば敵との闘いよりも同志の確保を優先しろということだ。このゲリラ戦教程では、「強奪、強姦などの重罪」は軍事法廷を経て銃殺、「強姦、殺人、強奪、反革命活動等によって有罪と判断された」場合の「極刑」も指定している。軍としての絶対的な規律は守っている。しかし命令違反は極刑ではない。この教程が全体を通じて道徳的倫理的紐帯を構築しようとしているのは明らかである。「弱者」を含む多様性によってゲリラ部隊を組織し、生命を手段にしないという原則の徹底によって、革命運動そのものを「新しい人間組織」——強者と弱者の関係、いわば主人と奴隷の関係を転覆する社会組織——の形成過程にするのである。

本書は革命戦争のただなかでのアナキズムの実践例であり、アナキズムが軍事に対応する際のひとつの指標を示している。バーヨに軍事指導を受けたゲバラは、『ゲリラ戦争——キューバ革命軍の戦略・戦術』（新訳、甲斐美都里訳、中公文庫）のなかで、この教程を踏襲している。ただしゲバラは、ゲリラ戦士には「命がけで行動し、躊躇なく死ぬ覚悟が必要であ」り、「自己強化の機会に変化できる鉄のように頑丈な体質」が条件と書いている。バーヨは土着的なアナキズムとゲリラ戦の融合をめざしたが、ゲバラは強い兵士と軍を欲した。それは同志たちの「敗北死」を合理化していった連合赤軍の建党建軍論と共通点を有する。したがって本書は、戦後日本の革命運動に対するアナキズムからの答えでもある。実際、バーヨのテクストは獄中で連赤総括を進めた永田洋子の格闘に輪郭を与えてくれる。

（ともつね・つとむ　東京外国語大学教員、日本思想史）

◆本著作は「世界革命運動情報」16（同誌編集委員会訳、レボルト社、一九六九年二月二十五日発行）に収録。

◇アルベルト・バーヨ（Alberto Bayo y Giroud　一八九二—一九六七）キューバに生まれ。スペイン王国軍で職業軍人となり、一九三一年にスペイン共和国軍空軍司令部副官、一九三六年のフランコの軍事反乱に対して闘った。一九三九年のスペイン革命敗北後はフランスに脱出。キューバ革命に軍事指導者として参加。詩人、随筆家としても知られる。

大道寺将司『明けの星を見上げて――大道寺将司獄中書簡集』

他者に向かって開いていく真摯な言葉を読む

山口守

一九六〇年代全共闘運動の衰退と連動するように、一九七〇年代初頭に警察を目標とする爆破事件や、赤軍派による浅間山荘事件のような、国家権力と直接武装闘争を展開する行動が相次いで起きた。その中でも一九七四―七五年日本社会を震撼させた企業連続爆破事件の実行者として逮捕された狼、大地の牙、さそりの三部隊から成る東アジア反日武装戦線は、既成左翼と異なり、指示・命令に基づく組織を作らず、参加者の自由意思を尊重する共同行動を志向した点で、戦後日本の左翼の中で特異な存在である。メンバーの一部にアナキスト人脈に繋がる者がいたことで、警察やマスコミは当初アナキストの犯行と断じたが、メンバー自身がアナキストを標榜したことはない。帝国日本が戦後も経済大国として形を変えて存続しているという立場から、闘争の矛先を天皇制及びアジア各国で経済侵略を進める大企業へと向けた直接行動が、反国家的だからアナキズムを背景とすると推測されたにすぎない。

東アジア反日武装戦線の行動と思想については、松下竜一が『狼煙を見よ』（河出書房新社、一九八七）で、狼部隊のメンバー大道寺将司（一九四八―二〇一七）を中心に詳細に描き出しているが、本書で「ぼくは、アイヌモシリを侵略した植民者の末裔なのです」（イレーヌ・アイアンクラウド宛書簡）と自己規定するように、帝国本国内のアイヌ民族、沖縄、底辺労働者、また旧植民地・占領地の中国、朝鮮、台湾などアジアの人々に対して原罪意識に似た歴史認識を持つ大道寺将司が、どこまでも誠実に倫理性の高い正義を求め、物理的破壊行為を手段とした結果、意図せざることとはいえ、「いつの日にか結びつくべき人々、そして権力の弾圧から防衛すべき人々を殺傷してしまった」（チカップ美恵子宛書簡）悲劇を招く。日本社会の暗い過去と誠実に向き合い、その批判が高潔な倫理にまで昇華するような人生を生きてきた人々が、その高潔さゆえに、将来新たな共生社会の仲間となる可能性のある人々を殺傷してしまう。獄中書簡集『明けの星を見上げて』は、日本社会が過去の負の歴史に向き合うべきだと考える大道寺将司が、獄中で同じように自らの負の個人史に誠実に向き合い、自己検証を行う真摯な言葉に満ちている。

この点は、獄中で四十二年間を過ごした大道寺将司の最後の通信集『最終獄中通信』（河出書房新社、二〇一八）でも変わらない。ただ、その四十二年間にも歴史は進行している。裁判中も含めて獄中で肉体的、精神的な暴力が日常化する中でも、大道寺将司は妨害をはねのけて獄外の日本社会の変容を学ぶことを絶やさない。例えば「盗聴法、オウム新法、改正住民基本台帳法と、管理と監視がいっそう進んでいます。これ以上の監獄化を許さない反撃が必要です」（『最終獄中通信』）と、監獄内外を繋ぐ視点から社会批判を述べる。またこの二冊の獄中書簡集は帝国日本や自分の負の歴史への厳正な批判と同時に、獄中を生きる大道寺将司自身の現在を照らし出したものでもある。活動中の潜伏生活と異なり、逮捕、投獄されてからは支援する人々や、東アジア反日武装戦線の行動と思想に関心を持つ人々との交流が増え、その意見のやり取りによって思考や感情が深化し、整理されていく。また、かつて仲間とは話せなかった個人的なことを披露する機会を得る。例えば、人権を守るべき法律が逆に人権を蹂躙した悪例だが、狼部隊を支援したことで「無形的精神的幇助罪」で懲役刑に処せられた荒井まり子に対して「裸の自分をさらけだしてこなかった」（『明けの星を見上げて』）と告白して、生い立ちから思想形成の過程を説明する。こうした獄中書簡は身体を拘束され、言論を監視されていても、他者に向かって言葉を開いていく貴重な例でもある。

東アジア反日武装戦線の思想を評価する立場はいろいろあるが、それがアナキズムに該当するかどうかの議論は、実は意味を持たない。アナキズムは多義的であってこそ意味を持つ。一人ひとりの人間がアナキズムについて考えたことがそれぞれアナキズムの内容である。あるいはアナキズムについて知らない人間の行為そのものがアナキズムでもあり得る。アナキズムとは自由になりたい、平等でありたい、他者を助けたいという希望の言説や行為の集合体である。その意味で東アジア反日武装戦線をアナキズムの視点から考えることは有効であり、価値がある。


（やまぐち・まもる　日本大学文理学部特任教授、中国現代文学）

◆れんが書房新社（一九八四）。

◇大道寺将司（一九四八―二〇一七）東アジア反日武装戦線〝狼〟部隊の一員として、お召列車爆破未遂事件（虹作戦）および三菱重工爆破を含む三件の連続企業爆破事件を実行し、一九七五年に逮捕される。八七年最高裁で死刑が確定。著書に『死刑確定中』（太田出版）、『最終獄中通信』（河出書房新社）のほか、獄中で詠んだ句集に『友へ』（ぱる出版）、『棺一基』（太田出版）などがある。

水田ふう／向井孝『エェジャナイカ、花のゲリラ戦記』

「非暴力直接行動」の記録と独自の市民運動論

冨板 敦

「やりたいから、面白いから、楽しいからやる……運動いうんは、こんなもんとちがうやろか。自分らの日常と運動が、かけ離れてるいうんは、やっぱりおかしいんとちがうやろか。気楽に楽しみながら、そして人をも自分をも解放していくんが、私らがつくりたい運動やねん。」（本書一三一・一三五─一三六頁）

　本書は、水田ふう、向井孝による一九八〇年代の反原発・反天皇制運動の行動記録である。

　デパートの屋上から原発反対の一万円札ビラをまく、天皇崩御のパロディ新聞を発行、天皇の踏み絵ビラも配布、反原発・南無阿弥陀仏デモ……。創意工夫ある反対運動は、権力側（公安警察、機動隊員）を驚かせ、たじろがせた。一九八六年四月二十六日のチェルノブイリ原子力発電所事故による反原発運動と、八九年一月七日の昭和天皇死去による天皇制反対運動の高まりが、本書発刊（八九年五月）の背景にある。

　水田・向井が自ら発行してきた機関紙やニュース（『非暴力直接行動』ほか）に掲載したユニークな反対運動のいくつかの具体的なやり方を、本書はドキュメンタリータッチで紹介している。本書の目次は以下の通り。

「なむあみだぶデモ」で何を見つけたか／座り込み非暴力直接行動記／なんで「女と反原発」!?／漫才台本「不払い連」てなんやねん／「大の男」「小の女」これでエエんか／大変だァー敦賀原発事故かくし／「日高」バスツァー・趣旨と結末／「どんな戦争にも反対」という問題／「パロディ札ビラ」事件・風聞録／もしもし税務署長さん／花の応援団問答／小さなパレード大きなデモ／不払い連・井戸端談義／反原発は女を変える革命やった／おきなわ朕《ちん》道中─ゆきゆきて私服のむれ／四国高松で何が起こったか／Xデー華の乱／非暴力直接行動とは何か

　水田・向井のアイディアに満ちた、めくるめく行動（ビラ爆弾、念仏デモ、座り込みなど）の報告と同時に、彼らの市民運動論が語られる。

社会運動のやり方の中にある「みんなが決めて、みんなでやることこそ、良いのだ」という「統一信仰」を排し、〝やる者とやらない者の連合〟をめざす方法だ。

「（イ）各人の判断で、行動の都度、任意に参加するかしないかを、自分で決定してよい。

（ロ）行動する者には、役割分担はあっても、上下関係はない。強制もない。同じように、参加を強要したり、やらない者を決して非難しない。

（ハ）参加しない者は、やる者の反対や妨害をしないのはもちろん、やり方を規制・制限しない。

何よりも運動の中で、とくに（ハ）が確認されていることが、行動の創造性・多様性・可能性の保証である。つまりみんなにとって運動とは、行動をつくり、起こすこと――であり、だから『どんなときも、人の足をひっぱらないこと』が最低の共通項となる。」（四二―四三頁）

この、〝やる者とやらない者の自由連合〟は、外側の敵と闘うのではなく、自らのライフ・スタイルを問う。武装闘争を否定し、いま私たちが生きていること、生きているだけで闘いにできるという、その生き方を「非暴力直接行動」と名付け、最終章で鮮やかに説いている。

ただし、「どんな手段であれ、抑圧と闘うことに対しては肯定する。やられてるものがやりかえすのは当り前や。やりかえす手段として、せっぱつまった、ほかに余地のないものとして出てきている暴力的手段は、第三者的立場にあるものにとって、よい、わるいの評価や批判をこえたものである。」（九六頁）という立場はゆずらない。

「非暴力直接行動」については、向井の『暴力論ノート――非暴力直接行動とは何か』（『黒』発行所、二〇〇二・増補版二〇一一）に詳しい。

向井は、本書の「後書」に「ぼくらが八〇年代はじめに主張し実践しようとしたこの記録が、もしいささかでも運動の新しい質の後退を防ぎ、さらにその創出のために役立つものとなるならば、本書を出す意義もある」と記す。日々の暮らしが抵抗（非暴力直接行動）であり、半歩、また、一歩行動に踏み出したいとき、この本は役に立つ。

なお、水田・向井の共著には『女掠屋リキさん伝』（『黒』発行所、二〇〇六）がある。『水田ふうさんを偲んで』（水田ふうさんを偲ぶ会編、二〇二〇）は、彼女の人となりをあたたかく伝えている。

（とみいた・あつし　編集者）

◆径書房（一九八九）。

◇水田ふう（一九四七―二〇二〇）　本名は生和佐知子。一九七四年、向井孝のパートナーとなり、以後行動を共にする。向井と戦争抵抗者インター（ＷＲＩ）日本部の機関紙「非暴力直接行動」を編集発行。死刑廃止「かたつむりの会」、東アジア反日武装戦線救援「虹の会」などにも関係した。

向井孝（一九二〇―二〇〇三）　社会運動家。本名は安田長久。関西を拠点にアナキズム運動を展開。無名のアナキスト運動家の発掘にも努めた。（本書八八頁参照）

ハキム・ベイ『T. A. Z. ——一時的自律ゾーン 存在論的アナーキー 詩的テロリズム［第2版］』

生きよ、消えよ、そしてまた占拠せよ

真島一郎

TAZ。繰り返し口にすると呪文めいて響くこの言葉は、アメリカのアナキズム著述家ハキム・ベイによる造語「一時的自律ゾーン Temporary Autonomous Zone」の略号である。それはまた、ゾーンの新たな住人にたえず届けられる完全フリーの暗号といえるかもしれない。

私たちが生きる今を、死や挫折に塗りこめられた運動の過去に照らして萎縮させたり、逆にいつ到来するか知れたものではない未来のユートピアや「世界の終末」に譲り渡してはならない。同じく、世界にはもうどんな空き地も残されていないかのように諸国家の領土で埋めつくされた「地図」など、欺瞞の産物である。私たちの現に生きる場所が「一分の一」の縮尺で同じ世界に広がっていることを、ゆめゆめ忘れてはならない。

権力の管理を完全にまぬがれた自律のゾーン、そして個々のゾーンをつなぐ秘密のネットワークを、私たちはその気になれば今すぐにでも産みだせる。自律の拠点はどれだけ小規模でも、また一時的な／つかの間の輝きでもかまわない。

いやむしろ、既成概念や情報に搦め捕られず生の自由を体現したければ、自律の拠点も一時的であるに越したことはない。支配の視線に気づかれ捕捉されるまえにすばやく撤収と消滅をとげれば、TAZはいずれ予想外の場で甦り、私たちの地図上でいつまでも自律の火花を明滅させられるだろう。それもひとえに、生の自律が獲得や所有の対象でなく、人間の存在自体にきざまれた、ハキムのいう「存在論的アナーキー」の問いであるからだ。

「バハマのナッソー、バラックとテントの建つこの海岸の盛り場は［…］英国海軍が湾に現れた時には一夜にしてその姿を消した」。

かつてカリブ海域に群生した「海賊ユートピア」をはじめ、黒人逃亡奴隷が中南米の奥地に築いたマルーン・コミュニティ、史上名高い北米ロアノーク植民地消失の謎、はてはダヌンツィオによる戦間期のフィゥメ占領に至るまで、ハキムが世界史の深部に探りあてるTAZの痕跡は、いずれも神話的な光彩を放っている。ただ、本書がそれ以上に多くの読み手へ送り届けたメッセージとは、前近代の海賊ユートピアさながらに支配の監視をのがれ、サイバースペース上で自律の拠点を機敏に乗り継ぐ現代版ＴＡＺの可能性であった。権力の階層に応じて電子情報が組織的に統御される「ネット＝漁網」といえども、その網目や破れ目に寄生する「ウェブ＝クモの巣」ないし「カウンター・ネット」の一時的な自律を阻止しえない。そのとき私たちには、自由で瞬時に拡散可能なネット・テクノロジーの再専有をつうじた、水平的で開放的な相互リンクからなるカウンター・ネットの構築が可能となるだろう。

ハキムはここまで想像したうえで、来たるべきＴＡＺの姿をインターネットのみに託す発想には、当初から距離を置いていた――「ＴＡＺはコンピュータとともに、あるいはコンピュータを伴わずに起こったし、起こりつつあり、これからも起こるだろう」と。現代のハイテクに宿るアナーキーな潜在力は存分に活用すべきだが、メディアはあくまでメディア＝媒介にすぎない。過度にメディア化した抵抗の戦術は、当のメディアによる新たな抑圧にそれだけ足元を掬われかねない。現に八〇年代のハキムが独自の意味で語った「ウェブ」さえ、その後は「ネット」と見分けのつかないグローバル資本の公定語としてたちまち横領されていった。だが、人間どうしの直接の通いあいを基盤とするかぎり、ＴＡＺはけっして死なない。ユートピアなど何処にも存在しないが、ＴＡＺはそのつどの瞬間のうちで、確実に現前と再現前を反復していくだろう。

アンチコピーライトの形式で本書の全容が発表されたのは、じつに一九九一年のことである。以後の三十年間をつうじたネットの驚異的な発展を別にしても、ハキムの思考に今ふれる読み手は、ＴＡＺの可能性をあらためてメッセージの根源から捉え返す必要があるだろう。この社会の生きづらさに向きあう者たちがネットや小冊子に居場所をさぐるアナキズムの形に、蜂起の勇猛さは必要ない。他人の指図をはねのける自律の拠点として点灯・消滅・再占拠を繰り返すＴＡＺの闘いとは、むしろ私たちの誰もが身につけてきた生と共生の技法ではなかったか。ＴＡＺとはだから、人間の社会的生の基底で片時もとぎれず明滅しあう不可視の伏流帯へと宛てられた、流動する生の異名でもなかったか。

（まじま・いちろう　東京外国語大学教員、社会人類学）

◆インパクト出版会（箕輪裕訳、二〇一九）。初版は一九九七年。

◇ハキム・ベイ（Hakim Bey　一九四五年生まれ）　本名はピーター・ランボーン・ウィルソン（Peter Lamborn Wilson）。アメリカの評論家、詩人、アナキスト。ピーター・ランボーン・ウィルソン名義の著書に『天使――神々の使者〈イメージの博物誌31〉』（鼓みどり訳、平凡社）、『海賊ユートピア――背教者と難民の17世紀マグリブ海洋世界』（菰田真介訳、以文社）などがある。

ノーム・チョムスキー『チョムスキーの「アナキズム論」』

「イズム」を超えた普遍的な社会変革の実践理念

木下ちがや

本書は、アメリカ合衆国の言語学者ノーム・チョムスキーがアナキズムについて言及した、一九六九年から二〇〇四年までの論攷やインタビューを集めたアンソロジーです。チョムスキーは人間の言語には普遍的な特性があるという「普遍文法」を唱えたことで有名ですが、一九六〇年代のベトナム戦争の頃から政治問題や社会運動について活発に発言してきました。今年（二〇二二年）九十二歳になるいまもトランプ前政権などへの舌鋒鋭い批判を展開しています。チョムスキーの膨大な著書の多くは邦訳されていますが、彼が信条とするアナキズムについてはまとまった本はありませんでした。本書は、チョムスキーが国家支配に対してアナキズムをどう対峙させてきたのかを理解するとともに、現在のアナキズムが持つ意味を考えるためのテキストとして読み解かれるのが望ましいと思われます。

わたしたちがいま活動している世界は、およそ十年ほどまえから危機の時代にあります。新自由主義的グローバル化、経済危機、気候変動をはじめとする災害、そして感染爆発の危機がわたしたちの世界に切れ目なく押し寄せています。それはこの間に台頭した社会運動の数の多さと多種多様性からも明らかでしょう。世界的なシステムの危機は、それに反応し、未来を切り開こうとする衝動を生み出すからです。大規模かつ自発的な社会運動の台頭は、このシステムの危機に照応しています。

二〇一一年の「アラブの春」は中東一帯に民主化の波を広げました。この運動は世界を覆い、アメリカ合衆国では反貧困を掲げた「オキュパイ運動」が、日本でも反原発運動が起こりました。台湾、香港の民主化運動はいまやミャンマーに飛び火し､世界的な反差別運動の広がりは「ブラック・ライブズ・マター」運動に結実しています。

この間、ＳＮＳが世界的に普及し、社会運動とＳＮＳの融合がすすみ、バーチャル空間に特化した運動が現実政治を変えてしまうという実例を、わたしたちは二〇二〇年の「検察庁法改正案反対運動」で目の当たりにしました。民主主義を守ろう、差別をなくそうという声はＳＮＳを介して世界中でつながり、リアルな世界とバーチャルな世界が融合し、社会運動は日常化しつつあります。

しかし同時に、このような数多く台頭した社会運動のなかに、共通の理念あるいは「イズム」はあまり見いだせません。かつての左翼運動の理念、すなわち「共産主義」や「社会主義」が共通の理念として掲げられた時代とは異なり、民主主義あるいは特定の課題を一致点とした運動がそこにはあり、「イズム」は後景に斥けられています。冷戦崩壊と「体制としての社会主義」の崩壊は、左翼の体系的理念の正統性をも奪い取りました。

本書で展開されるアナキズム論は、「イズム」を超えたアナキズム論ともいえるもので、時々の支配に対抗し、現実的で直接的な諸問題と取り組むための「方法としてのアナキズム」です。チョムスキーのアナキズム論には体系的な理念があるわけではなく、時々の支配の形態によって性格を変化させていることがわかります。他方でなんらの規範がないわけではなく、権力の範囲を制限し、自由や自治の領域を広げる運動の実践において結ばれています。

本書第Ⅷ章「目標とビジョン」においてチョムスキーは、ビジョンとは我々が今取り組んでいる活動に英気を与える未来社会の構想であり、目標とは遠く隔たり霞がかったビジョンを追求し、実現可能な範囲内で達成しようとする選択や課題であると定義します。そしてビジョンと目標は法則的なものではなく実践的なものであり、民主主義か専制かという選択肢はいつの時代も変わらないといいます。

わたしたちがいま目の当たりにしている社会運動は、数が多く多種多様であり、かつての共産主義のような明確な「イズム」を共有しているわけではありません。しかしわたしたちは、さまざまな国や地域の人々が掲げる目標とビジョンを知り、かれらとわたしたちの実践経験のなかに同じ要素があることを見いだしていくことで、国境を越えた共感と共有を育んでいくことができます。

アナキズムとはまさに実践経験のなかにおいてのみ育まれる思想であり、体系的な理念が瓦解し、不透明な未来に向けて手探りで進まざるをえない今だからこそ、さまざまな社会運動の実践理念として再生されているのです。したがって本書は「イズム」を学ぶ教科書としてではなく、時代と空間を超えて共有しうる普遍的な社会変革の実践理念を見いだす参考書として読まれるのが望ましいでしょう。

（きのした・ちがや　政治学者）

◆明石書店（木下ちがや訳、二〇〇九）。原書は *Chomsky on Anarchism*, selected & edited by Barry Pateman, The New Press, 2005.

◇ノーム・チョムスキー（Noam Chomsky　一九二八年生まれ）　アメリカの言語学者。変形生成文法理論を提唱し哲学、心理学、社会学等にも多大な影響を与えた。社会運動にも関わり、政治やメディアに関する著作も多い。他の著書に『グローバリズムは世界を破壊する』（明石書店）、『メディアとプロパガンダ』（青土社）、『知識人の責任』（青弓社）、『秘密と嘘と民主主義』（成甲書房）など。

デヴィッド・グレーバー『アナーキスト人類学のための断章』

アナキズムを実現する多様な可能性を示す

田中ひかる

本書の著者は、惜しくも五十九歳で二〇二〇年に逝去した人類学者、そしてアナキストである。本書以降、著者は、『負債論』などの著作で現代資本主義の問題を明らかにし、オキュパイ・ウォール・ストリートの運動で主導的な役割を演じたことなどで著名になるが、本書は、それらの活動や著作につながるさまざまな観点やヒントがコンパクトに提示されているという点で、また、訳者が表現する「頭の回転が速すぎる少年のように饒舌」な語りが、本書の至る所にこだましている、という点でも、著者の思想の入門書として読むことができる。

著者は、一九八九年から人類学の調査のためにマダガスカルのコミュニティに滞在し、アナキズムの実現された民主的な社会を体験する。国家は全く機能していないのだが、コミュニティの中で起きた問題は人々の協力によって解決され、「合意 consensus」によって決定が下された。反対が表明されれば、それまでの合意はすべて放棄され、反対派が受け入れるような提案が考え直されることになる。帰国後の一九九九年、シアトルでWTOに反対する大規模な抗議行動が起きると、著者はグローバル企業の店舗を破壊したアナキストたちに関して調査する中で彼らの運動に加わり、そこでマダガスカルで出会った民主的なアナーキーに再会した。

この経験に基づき発表した論文「新しいアナキスト」(二〇〇二年)は、著者が行動を共にしたアナキストたちが、ネットワークと水平的なつながり、「合意形成プロセス」によってアナーキーを実現している人々であること、彼らの理念は言語によってではなく運動の形態によって表現されていること、この運動を経験することで「人間の可能性」を見出し「別の世界は可能だ」と信じることができるようになることが明らかにされていた。以上の論文のエッセンスは、それから二年後に刊行された本書でも読み取ることができる。

また本書では、著者がマダガスカルとアメリカのアナキストたちの運動の中で出会った民主主義は、地球上の多くの人々の間でも実践されているると指摘されているが、この論点はその後、著者が発表していく民主主義の多様な起源に関わる議論の出発点であり（『デモクラシー・プロジェクト――オキュパイ運動・直接民主主義・集合的想像力』木下ちがやほか訳、航思社、二〇一五年。『民主主義の非西洋起源について――「あいだ」の空間の民主主義』片岡大右訳、以文社、二〇二〇年）、著者が関わったオキュパイ・ウォール・ストリートで合意形成プロセスを導入することにもつながっている。

他方、本書で著者が取りあげている人類学者モースによる思想のうち、人は見返りを求めず他者に協力する、という論点は、その後も繰り返され（『資本主義後の世界のために――新しいアナーキズムの視座』高祖岩三郎訳・構成、以文社、二〇〇九年）、また、貨幣に依存しない社会は物々交換ではなく贈与によって成り立っている、という論点は、『負債論――貨幣と暴力の5000年』（酒井隆史監訳、以文社、二〇一六年）の出発点となる。なお同書では、人々を破滅に追い込む借金を帳消しにし、仕事を少なくして人生を楽しむという生き方に移行する必要があると主張されていたが、これと全く同じ見解は、それより数年前に発表された本書にも示されている。

著者によれば、アナキズムは仕事を減らして人生を楽しむことを目標とする思想である。これに対して資本主義は、人々が長時間労働に従事することでひたすら経済を拡大することで成立し、しかも、働き過ぎを支えるためにさらに無数の仕事が生まれている。しかし著者は、金融業者、保険業者、投資銀行家、広告・宣伝業者などの仕事のほとんどが消滅したほうが人類にとって有益だと主張する。このようなアイディアは、ホワイトカラー労働者の間で無数に見られる「クソくだらない仕事」をやめることで、もっと有益な時間を過ごすことができる、と論じた『ブルシット・ジョブ――クソどうでもいい仕事の理論』（酒井隆史ほか訳、岩波書店、二〇二〇年）に結実する。

とはいえ、後年に出される数々の著作との最大の違いは、著者が本書でアナキズムを実現するための道のりを提示している点にある。著者は、「想像力」を用いて現実の中に可能性を見出し、支配に立ち向かい、社会関係を再構築していくのが革命的行為だ、と述べている。本書は、アナキズムを実現する多様な「可能性」を「世界」に見出すことを、私たちに促しているのである。

（たなか・ひかる　明治大学法学部教員、社会思想史）

◆以文社（高祖岩三郎訳、二〇〇六）。
◇デヴィッド・グレーバー（David Graeber　一九六一－二〇二〇）アメリカの文化人類学者、アクティヴィスト。ロンドン・スクール・オブ・エコノミクス大学人類学教授をつとめた。他の著書に『官僚制のユートピア――テクノロジー、構造的愚かさ、リベラリズムの鉄則』（酒井隆史訳、以文社）など。

自由労働者連合の結成に至る経緯について

アナキズムの諸原則を基礎とする労働組合・相互扶助組織の現場から

松原秀晃

自由労働者連合の活動内容については、同連合の機関誌やブログ、SNS等を参照して頂くことにして、ここでは結成に至る経緯について少し述べたい。

　自由労働者とは、寄せ場や飯場の日雇労働者や日雇派遣労働者、失業者、野宿者など、一定の職種や職場を持たない労働者や失業状態にある者、段ボール回収やアルミ缶回収など都市雑役に従事する労働者を指している。

　自由労働者連合は、アナキズムの諸原則を基礎とする労働組合、相互扶助組織で、二〇〇七年に結成された。その動機は主に次の三点（①新しい下層社会形成としての野宿者解放運動、②全人民的反失業闘争の戦略的課題としての特就労運動、③剥き出しの暴力的労務支配の現場で対峙する朝日建設争議の地平）への総括にあった（「寄せ場―公園―路上を貫く労務支配の構造」『飛礫』44号、つぶて書房、二〇〇四）。

　①について。一九九一年バブル経済崩壊による大不況とその大不況をもテコに推し進められた金持ち優遇、社会保障の削減、雇用の流動化、労働者派遣法改悪、低賃金政策、市場原理に基づく民営化などの新自由主義諸政策は、恒常的失業者（低賃金政策の基盤）、派遣や期間雇用などの非正規労働者、寄せ場の制度外に置かれた新たな「無権利日雇」とも言えるフリーター等といった不安定就労層とその周縁部に、その構造的矛盾を最も鋭く体現する野宿層の激増を招来した。

　こうした状況の中で、一九九〇年代前半の欧州各地のスクウォット運動・アンチファ運動に刺激を受けた若者や、釜ヶ崎で支援活動をしてきた若者たちが集まり、釜ヶ崎パトロールの会を結成（一九九六）。『釜パト通信』創刊号で「野宿者の不法占拠断固支持」を打ち出し、新しい下層社会の萌芽と野宿当事者の立ち上がりに依拠した野宿者解放運動が市内全域で展開された。

②について。釜ヶ崎での「7・3林建設手配車両焼き討ち決起」（一九九二）を発火点とする反失業闘争が闘われ、市内全域五〇〇〇名を超える野宿者の存在を背景に、第三次釜ヶ崎反失業闘争（一九九四）によって、五十五歳以上の高齢労働者の特別清掃事業（特掃）を勝ち取ることができた。しかし、かつて反失業の旗の下にセンター座り込みや実力開放・センター自主管理を闘った輪番就労登録労働者（二〇〇四年度・三一〇〇名）の期待は裏切られることになる。釜ヶ崎内外の活動家たちがNPO釜ヶ崎支援機構の「理事長」「理事」「事務局長」「監督」等に就任して市民生活並みの安定収入を保障される一方で、輪番労働者は日当五七〇〇円で月三～四回の賃金を得て野宿するという笑えない冗談が現出した。

反失業闘争を再建する必要があると考える元釜共闘などの活動家が集い、高齢者特別就労組合準備会が設立された（二〇〇〇）。釜ヶ崎と市内全域の野宿者を有機的に結びつけ、さらに日雇派遣やフリーターなど全下層を基軸とした全人民的な反失業闘争を志向し、多くの輪番就労労働者や野宿者が活発な議論をおこなった。

③について。暴力的労務支配の構造に対する朝日建設争議団の全国争議は、多くの日雇労働者や野宿者の共感と支持を集めたばかりではなく、韓国ドキュメンタリー映画『土方（ノガタ）』（キム・ミレ監督、二〇〇五）を通じて韓国民主労総・建設労働組合との連帯を築いた。また、他の手配師や人夫出し飯場も賃金不払いや暴力的支配など「ヘタな事はできない」という有形無形の緊張感を与え続け、労働行政による労働センター周辺の違法手配の監視や指導、被害労働者の救済をおこなうなど朝日建設争議団の要求が後々まで寄せ場を規定することになった闘争であった。

以上の三点は、基本的な分析と戦略的課題として間違いはなかったと思うが、ホームレス特措法体制下の彼我の力関係において、テント村など野宿者集住拠点を失うことで野宿者運動の力が削がれ、同時に炊き出しや寄り合いなど市内各地の野宿者が集い釜ヶ崎を往来する契機となる場も縮小し、全人民的反失業闘争を志向した特就労運動も途絶した。

自由労働者連合は結成後、野宿者や釜ヶ崎労働者、日雇派遣、フリーター、障がい者、獄中者など幅広い下層労働者が集まる労働組合として活動を開始し、労働相談や団交、争議のほか、二〇〇八年の対西成署抗議行動（最後の釜ヶ崎暴動）と救援活動、布施や天王寺での越冬闘争、職安前越年机出し相談・情宣をおこない、大逆事件一〇〇年シンポジウムやASN富士宮合宿、アナキズムセミナーを同志たちと開催した。3・11以降は、様々な試行錯誤を繰り返しながら、労組的と言うよりもアフィニティ・グループ的な行動様式を採り、アナキズム読書会を月例で続け、有象無象が集うメーデーやイベント、8・6広島集会などを他の同志とともに取り組んでいる。

（まつばら・ひであき　自由労働者連合議長）

アナキズムの言葉

コリン・ウォード

アナキズムとは、どんな装いのものもみな、人間の尊厳と責任の主張なのである。それは政治変革のプログラムではなくて社会的自決の営為である。

コリン・ウォード『現代のアナキズム』（一九七二年）
出典：同（西村徹／P・ビリングズリー訳、人文書院）

6 変革への道

世界と自分を変える方法

国家、資本主義、組織、家族、人種、ジェンダー等、あらゆる抑圧や差別に社会と個人はどう闘っているのか。世界各地で見られる社会運動と個人による実践の中に、アナキズム精神を読む。

『女たちの中東 ロジャヴァの革命――民主的自治とジェンダーの平等』
M・クナップ／A・フラッハ／E・アイボーア

家父長制の解体なくして、国家なき社会はない

北川眞也

フェミニズムが闘争の最前線をなす。数々の差異と交差しながら世界各地で興隆するフェミニズムの運動は、家庭はもとより、国家こそが家父長制そのものであると指摘する。とすれば、いっさいの国家・権威を拒否するアナキズムは、フェミニズムへと生成しなければならない。家父長制を解体しなければ、脱国家化する社会はありえない。

二〇一二年頃から、このような運動、否、革命に取り組まれてきた土地がある。それは中東、内戦のただなかにあるシリア北部である。西クルディスタンにあたるこの地域は、本書がその詳細を述べる通り、「ロジャヴァ」という名で今やその革命とともに世界中で知られている。

第一次大戦後の西洋諸国による領土分割に伴い、クルド人は、シリアやトルコなど四か国に分断された。マイノリティとして抑圧され、虐殺もされてきたクルド人は、国家なき民として知られる。長きに渡り、かれらが己の国家を希求してきたのは当然だろう。だが、ロジャヴァ革命は国家の樹立を求めない。ロジャヴァでは、国家こそが暴力や略奪、支配の象徴だとみなされるからだ。この考えは、トルコの監獄に「テロリスト」として幽閉されるクルド労働者党の指導者アブドゥラ・オジャランが、独立国家という当初（一九八〇年代）の目標から紆余曲折を経てたどり着いた結論でもある。オジャランは、マレイ・ブクチンのアナキズム思想の影響を受けつつ、メソポタミア文明時代からの中東史を研究し、男性による女性の隷属化が国家の誕生に必須だったことを見出す。国家とは家父長制そのものであり、家父長制から国家は生み出される。

それゆえ、社会に拡散する家父長制を解体していくことが、この革命の核心的課題となる。黙殺されてきたDVや強制結婚など、家庭内の男性支配を解体する民衆法廷が設けられ、女性が中心となってこうした犯罪を審判する。同時に、罰するのみならず、男性がそうした行動に至った要因を理解し合うことで、その家父長制的な主体を解体する教育が重視される。

しかし、この革命を国家という家父長制体制へと帰結さ

せないためには、フェミニズムはアナキズムへと生成せねばならない。ロジャヴァでは、「民主的自治」と呼ばれる直接民主主義による民衆の自己統治が行われてきた。ロジャヴァの面積はそれなりに広い。しかし民主的自治は、なんと近所の住宅街、コミューンでの議論からはじまる。コミューンでの意思決定を、地区へ、地域へ、そしてロジャヴァ全体へとつなげていく仕組みが組織されてもきた。経済活動や資源利用、教育、上記の司法、防衛や警察のあり方をどうするか。このいっさいを決めるのは、コミューンを基礎とするこの人民評議会システムなのであった。

ここにおいて、女性たちは「妻」という地位から離脱していく。女性だけの評議会が各地で形成され、女性が社会のあらゆる主題について学び、意思決定に関与する。またあらゆる組織の指導的地位には必ず女性がいる。加えて、クルド人以外のエスニック集団の人びと、女性もこの革命に触発されており、民族や宗教の分断を乗り越えながら参加している。当然、こうしたコミューン主義には多くの気力と時間が必要であり、民衆には大変なことである。しかし無知のように扱われなければ、民衆は学ぶ。教育、自己教育こそが、革命の動力なのだ。

二〇一五年一月にコバニの町をイスラム国から解放した闘い。そこには、武器を持った多くの女性の姿があった。「戦争」には、国家主義、男性主義の匂いがするだろうか。しかし、黒人や被植民者など抑圧された者たちの闘争が教えるように、強権国家やジハーディストの攻撃に直面するロジャヴァは、自衛なしには存続できない。男性のみならず、隷属を強いられた女性たちが女性のみの防衛隊を設け、国家や男性に命令されることなく自ら進んで自衛に当たるという生成変化は、己の土地、己の自治、己の革命を守るというのみならず、それ自体がこの革命の一部をなす。

本書は、国家の領土ではなく、共同の自治の場たる大地に住むこの「女たちの革命」を日本語で学べる貴重な一冊だ。著者の三人は、ドイツを基盤にクルド人の運動に長らく関わってきた人たちであり、二〇一四年五月と二〇一六年初めの現地調査に基づいて本書を執筆している。デヴィッド・グレーバーによる序文も必読だ。本書には、昨今の困難も含めて、アナキズム的実践のリアルが描出されている。

（きたがわ・しんや　三重大学人文学部准教授、地理学）

◆青土社（山梨彰訳、二〇二〇）。原典は二〇一五年に刊行されたドイツ語版、本訳書の底本は、ジャネット・ビール訳の英語版（Michael Knapp, Anja Flach, and Ercan Ayboga, translated by Janet Biehl, *Revolution in Rojava: Democratic Autonomy and Women's Liberation in Syrian Kurdistan.* London: Pluto Press, 2016.）。

◇ミヒャエル・クナップ（Michael Knapp）　ベルリンのクルド連帯委員会で活動。民主主義と社会運動を研究する歴史家。
アーニャ・フラッハ（Anja Flach）　文化人類学者。ハンブルクのロイビン女性評議会のメンバー。
エルジャン・アイボーア（Ercan Ayboğa）　北部クルディスタンでハサンケイフを救う運動、メソポタミアエコロジー運動に長年携わる。

ゼロカルカーレ『コバニ・コーリング』

世界に無数のロジャヴァを

北川眞也

イタリアには、空き家などを占拠し、人びとが自主管理する「社会センター」という左翼のスペースが各地にある。数年前、とある社会センターにいたとき、その一角に迷彩服をきた個々人の顔写真が並べられていることに気づいた。近づいてよくみたら、それは中東・ロジャヴァの防衛に、ヨーロッパから義勇兵として参加し、命を落とした人びとの写真だった。

ロジャヴァとは、トルコ国境に隣接するシリア北部に創出された自治地域のことである。それは、内戦下のシリアで、二〇一二年頃からクルド人を中心になされてきたまさしく革命の産物だ。街路レベルからの民主主義、女性の自由、異なるエスニック集団の共生、生態環境の保護を軸に、この革命は、国家のただなかに広範囲に及ぶ脱国家的な自主管理地域を創出してきたのだ。しかし、そこは内戦下のシリアである。中東という大国の軍事的かつ戦略的利害に翻弄されてきた地域である。イスラム国やトルコとの紛争のため、ロジャヴァが己を存続させるには、攻撃や侵略から己を守らなければならない。こうした紛争状態のなか、多くの命が犠牲となり続けている。

本書は、二〇一五年七月にロジャヴァの地を訪れたイタリアの漫画家・ゼロカルカーレによる現地ルポである。その際、著者は、ロジャヴァの人民防衛隊・女性防衛隊によって、激しい戦闘の末にイスラム国から解放されたコバニの町にも足を踏み入れている。旅の準備や移動行程、現地での数々の体験を、漫画という形式で、ユーモアとシリアスさを巧みに行き来しながら描出する著者の力量もあり、本書はイタリアで十二万部以上売れた。しかも、十の言語に翻訳されている。一九八三年生まれのゼロカルカーレは、『ドラゴンボール』をはじめ、日本の漫画の影響もかなり受けているようだ。また、二〇〇一年ジェノヴァでの反G8デモに十代のときに参加し、社会センターと日常的に深い関わりを持つパンク精神に溢れた人物でもある。

本書は、遠く離れたイタリアで、「中東に十字軍を送れ」とわめく政治家のたわ言とも、中東の紛争を盤上ゲームのごとく語る解説者の国家中心の分析とも、まったく異なる紛争の現実、そして紛争下で実践される民主的自治の現実を伝えている。しかし、本書は優れたルポにはとどまらない。なぜロジャヴァに来たのか？『コバニ・コーリング』を国家中心の視点ではなく、徹頭徹尾、脱国家的な視点に立たせるのは、本書を貫くこの倫理的–地理的な問いかけにほかならない。なぜローマ郊外の自らの故郷を世界の中心だと言い、戦争を恐怖する著者が、ロジャヴァへと赴いたのか。著者は、なぜ「安全」なヨーロッパを離れて、「危険」なロジャヴァへと来たのか。

禁輸措置で苦しむロジャヴァに物資の支援をしたいから。民主的自治の現実をみたいから。いずれもがロジャヴァに来た理由に違いない。しかし、旅の途中でもたえず「なぜここへ来たのか？」と自問する著者が、ついにはっきりと見出した答えがある。それは「心」である――人生のなかで、著者の心に形を与えてきたすべてのものがそこにあるから。美的すぎるだろうか。しかし、「西洋的」な著者の人生の尺度では容易には測れない人生を歩む人びととの出会いを通じて、著者は確かに心を動かされていく。みずから進んで軍事訓練を行う女性たち。この闘いのために各地から駆けつけたクルド人たち。この闘いで死亡したクルド人、さらにはアラブ人、アッシリア人など様々な文化的背景を持つ人たち。こうした人たちの家族や親戚。拷問に苦しんだ人たち。腐敗した遺体の臭いが漂うコバニの街で生きる人たち。現地で知り合ったが著者の帰国後に殺された人。著者は、国家を中心とした大文字の歴史からは消去される無数の小さな歴史を織りなす集団的つながりが、ロジャヴァ革命を支えていることを描出する。

こうしたつながりが、著者の心にも形を与え、「この人たちが負けたらみんな負ける」という地理的距離を超える政治的感覚を芽生えさせる。いわばこれは、ロジャヴァを前線としながら、イタリア、ヨーロッパ、世界へと及ぶ反ファシズム・民主的自治の闘争なのだ。二〇一九年、義勇兵として闘ったイタリアの若いアナキストがイスラム国に殺された。二〇二〇年、イタリアに帰国した女性義勇兵が、「社会的危険人物」として特別監視下に置かれた。そしてゼロカルカーレは、イタリアでこのロジャヴァ革命を支えるべく、ロジャヴァ弾圧を後方支援する国家・EUに異を唱えると同時に、この革命をローマ郊外の地元へと翻訳するよう突き動かされる。世界に無数のロジャヴァをと。

（きたがわ・しんや　三重大学人文学部准教授、地理学）

◆花伝社（栗原俊秀訳、二〇二〇）。原書は Zerocalcare. *Kobane Calling*. Milano: Bao Publishing, 2016.

◇ゼロカルカーレ（Zerocalcare　一九八三年生まれ）　イタリアの漫画家。ペンネーム「ゼロカルカーレ」はイタリア語で「水垢ゼロ」の意。他の著書に『法廷に立つ俺たちの物語（*La nostra storia alla sbarra*）』『アルマジロの予言（*La profezia dell'armadillo*）』『わたしの名前は忘れて（*Dimentica il mio nome*）』など。

A・ダンサ／E・トゥルボヴィッツ『ホセ・ムヒカ　世界でいちばん貧しい大統領』

アナキストたちの知られざる世界的拠点から

飯島みどり

本書は国連リオ＋20会議での演説後、日本でも一躍時の人となったウルグアイ大統領ホセ・ムヒカ（一九三五年生まれ）の破天荒な行状記である。

「植民地」をドラえもんのポケットになぞらえたら顰蹙を買うだろう。しかしある時は主人の持て余しものを引き受け、ある時は主人の労働力不足を補い、ある時は主人にお宝を奪われ、また時には主人のガラクタを買わされる身、それはのび太に何でも都合してやるポケットに似る。

十九世紀初頭スペイン植民地から脱したラ・プラタ地域はアルゼンチンとウルグアイの二国に分立したのちも旧世界に頼り続ける。だだっ広いだけと映る土地に人影はまばら。欧州依存の局面が多岐に渡るなか両国は「国民」の促成栽培にひたすら大西洋の向こう岸からヒトを募った。

余りものの中には欧州が吐き出したい厄介者がいる。革命やコンミューンの夢破れ、身を守り再起を窺うべく「新世界」へ転進する者たちも。米国偏重の目にはサッコとヴァンゼッティが映るのみとしても、その南方世界には無数のサッコとヴァンゼッティが逃げのび、とりわけラ・プラタ両国は十九世紀末以降アナキストたちの世界的拠点と化す（アナキストばかりではない、「ユダヤ人」しかりナチの残党しかり、ドラえもんポケットはありとあらゆる者の逃げ場として機能する）。二十一世紀に入ってもブエノス・アイレスの街頭にはステンシルを駆使する即乾グラフィッティとともにⒶマークが至るところ散りばめられている。

ムヒカはそんなラ・プラタ版アナキズム文化の産物と言ってよい。社会主義者を名乗りつつアナキズムに親しみ、その言動は相当に型破り。本書は彼を黒い羊（変わり種）と評し、御丁寧に一章を「アナーキー野郎《エル・アナルコ》」に割く。

ムヒカと彼の一党トゥパマロスが国外にも名を轟かせるのは一九七一年、当時収監されていたプンタ・カレタス監獄に地下トンネルを掘り抜き百名以上の脱獄に成功して以来だが、掘削作業の途上、彼らは別のトンネルを発見。それは一九三一年三月、B・ドゥルティとも親交のあったM・A・ロシグナらが南欧出身アナキスト四名の脱獄を成功させたルートだった。後輩たちは新旧トンネルにそれぞれ「レーニン」「クロポトキン」と名づけ、脱獄まぎわ二本の交差点に「イデオロギーはふたつ、目的はひとつ――自由」との書きつけを残したという。映画監督E・クストリッツァは商業施設に改装された旧監獄を訪れるムヒカの姿を『世界でいちばん貧しい大統領　愛と闘争の男、ホセ・ムヒカ』（二〇一八）に収めている。

　本書の両著者はウルグアイの中堅ジャーナリスト。人口三百万強ながら同国では政治分析紙数紙が鎬を削る。筆頭著者A・ダンサはうちの一紙、週刊『探索《ブスケダ》』の記者（現編集長）。自由主義を掲げ七二年に創刊された同紙の社主は軍政期（七三―八四）の経済大臣を息子にもつ中央銀行総裁、初代編集長はF・ハイエクやM・フリードマンが参画したシンクタンクの会長を務めたエコノミスト、とくれば本来ムヒカとは対極に立つ。それでも足かけ十年、両記者は黒い羊に密着、元ゲリラが議員、農牧大臣、大統領へと歩む道のりを追い、大統領退任二ヵ月後の二〇一五年五月に本書を放った。原著書名の打ち出す「変わり種《オベハ・ネグラ》」が実は決して突然変異ではなくラ・プラタの歴史的果実である事情を堅実に、党内外の駆け引きやムヒカの失言放言の数々まで交え、美化一辺倒に陥ることなく軽妙に活写する。

　驚くべきことに日本語版（汐文社版）は原書刊行から半年足らずで世に出た。極東の書籍市場においてもよほど期待が高かったと見える。ただ奇跡のスピードが災いしてか、残念なことに大小多数の誤訳が残り、角川文庫版でもほぼそっくり手つかずのまま。特に「現実主義者《サンチョ・パンサ》の皮を被った理想主義者《ドン・キホーテ》」という最上のムヒカ評が「サンチェスに扮したドン・キホーテ」（二二頁）、十九世紀中葉ウルグアイへ到来したムヒカ第一号の配偶者が「シプリアニ姓の女性」から「キプロス人」（三二九頁）へと化けた二箇所はかなりイタい。ウルグアイにとっての「国外・外界」がすべて「海外」と日本中心主義に毒されているのも鼻につく。

　とはいえ全体として本書はムヒカの無類ぶりをよく伝え、一頭の背後に百頭千頭の黒い羊を擁するラ・プラタ地域のアナーキーな素地をも浮き立たせる。スペイン語圏ジャーナリズムの作品が日本語で読めること自体極めて稀なだけに貴重な本書、そして原書を手に、アナキストたちの世界的拠点へいずれ旅立つ若人のひとりでも多からんことを。

（いいじま・みどり　立教大学教員、ラテンアメリカ近現代史）

◆角川文庫（大橋美帆訳、二〇一六）。訳書初版は『悪役　世界でいちばん貧しい大統領の本音』（汐文社、二〇一五）。

◇アンドレス・ダンサ（Andrés Danza）（一九七六年生まれ）ウルグアイのジャーナリスト。ウルグアイカトリック大学で教鞭をとる傍ら、ジャーナリストとして活動。週刊紙『ブスケダ』編集長を務める。
エルネスト・トゥルボヴィッツ（Ernesto Tulbovitz）（一九六七年生まれ）ウルグアイのジャーナリスト。週刊紙『ブスケダ』編集者。スペイン、エルサルバドル、アルゼンチンのメディアでも勤務経験がある。ホセ・ムヒカ大統領の外国訪問に数多く同行し取材した。

松本哉『貧乏人の逆襲！——タダで生きる方法』

好き勝手に生きていくための生活術と「反乱」の方法

田中ひかる

本書で著者は、学生時代から行ってきたさまざまな「マヌケ」な運動を披露しながら、社会から押しつけられる価値観や「生き方」に対抗する、「勝手な」「生き方」を読者に勧めている。著者から見れば、資本主義社会の「勝ち組」とは、働かずとも「自然に金が舞い込んでくるシステムを作っている奴ら」であり、日本社会の九〇％以上は「金持ちの口車に乗せられて」「自転車操業」をしている「貧乏人階級」である。そんな「優秀な奴隷」や「立派な模範囚」になりたくなければ、「好き勝手に生きていく」ほうがよい。そのために必要なのが、「貧乏人の生活術」である。

著者は、衣食住、そして移動や情報の発信を、タダもしくは激安にするために、著者自身が実践してきたさまざまな方法を、「マヌケ」で「ばかばかしい」エピソードをちりばめつつ、読者に紹介している。読み進めていくうちに、試行錯誤で工夫をかさね、友人などとの話し合いや交渉を繰り返し、そして信頼できる人々との協力を通じて、「貧乏人」が都会でも安く生きていけるということがわかってくる。

著者は、「生活術」だけでなく、経済の仕組みそのものを変えてしまおうと提案している。中古品をかき集め「貧乏人の財産」として地域で流通させることで、「モノに関する自治」を実現すれば、「ボッタクリ経済」を破壊できる。貧乏人同士が地域でつながって生きていけば、それは自分たちのことは自分たちでやるという「小さな自治政府」のようなものだ。さらに、誰でも利用できる施設もつくればよいだろう。著者たちが高円寺で設立したのは、劇場や映画館といったイベントスペース、そして宿泊所や日替わり店主の「何とかバー」である。こういった施設に集まることで、貧乏人同士が結束することになる。

それでも「ろくでもない制度」や「常識」が壁になって「生きづらい」ことがあれば、「反乱」を起こせばよい。著者は学生時代、「法政の貧乏くささを守る会」によって、就職予備校となりつつあった大学に対して「反乱」を始めた。「学食は値段の割には量が少ない」という貧乏学生の不満に基づく「学食値上げ反対」の抗議行動には多くの学生が参加した。それ以外にも、キャンパス内にこたつを出して宴会をする「こたつ闘争」、「鍋闘争」などを展開し、大学側と衝突した。大学を出たあと、著者は仲間たちと「貧乏人大反乱集団」を立ち上げ、商業化されてしまった街を奪い返そうとした。街頭で「路上飲み会」や鍋集会を始め、集まったホームレスや会社員、困窮する若者、風俗嬢、「パスポートを持ってない外人」、家出少女などが集まって「最強の軍団」ができた。

二〇〇五年に高円寺でリサイクルショップ「素人の乱」を始めると、仲間たちとデモという「反乱」を繰り返すようになる。「俺のチャリを返せ」や「家賃をタダにしろ」といった「マヌケ」な要求を掲げたデモは、組織がないにもかかわらず毎回数百名の規模になり、「PSE法反対」を掲げたデモは、主流メディアで取りあげられ話題になった。二〇〇七年には杉並区議会選挙に著者が立候補し、選挙の宣伝という名目で、高円寺駅前でバンドや舞踊集団によるパフォーマンス、トークイベントを開催することによって「騒ぎ」を作り出した。著者はこの「騒ぎ」で現在の「秩序」が無意味であることを示し、「ばか騒ぎ」の「解放区」、つまり「革命後の世界」を「先につくる」ことを目指した。二〇一一年四月以降には、著者たちが主催した「原発やめろ」デモに毎回数千から一万人以上の人々が参加した。

こういった数々の運動は、韓国・台湾・香港などの活動家からも注目を浴び、高円寺は東アジアの活動家たちが集い交流する場になり、東京とソウルで国際的な交流イベント「No Limit 自治区」が開催された。また本書は韓国語に翻訳され、多くの読者を獲得している。

その後、著者たちは、高円寺駅前再開発計画に反対するデモを繰り返し開催し、「ボッタクリ経済」に抵抗を続けている。その活動は、著者の個人ブログや「マガジン9条」の連載記事で読むことができる。なお、著者とともに高円寺で「素人の乱」を立ち上げた山下陽光による『バイトやめる学校』（タバブックス、二〇一七年）も本書と併読することをすすめたい。

（たなか・ひかる　明治大学法学部教員、社会思想史）

◆ちくま文庫（増補版、二〇一一）。初版は二〇〇八年、筑摩書房刊。

◇松本哉（一九七四年生まれ）　リサイクルショップ「素人の乱5号店」店主。本書以外に、二木信との共編『素人の乱』（河出書房新社）、『貧乏人大反乱』（アスペクト）、『世界マヌケ反乱の手引書――ふざけた場所の作り方』（筑摩書房）がある。また、映画『素人の乱』（中村友紀監督）をはじめとする過去の動画はYouTubeで視聴できる。

石川優実（著）／インベカヲリ★（写真）『#KuToo――靴から考える本気のフェミニズム』

沈黙を破り一歩を踏み出そうとするすべての女たちへ

中谷いずみ

著者の石川優実は「#KuToo（クートゥー）」運動を立ち上げた人物である。石川は、仕事内容が同じにもかかわらず、女性のみに足に負担がかかる靴を求めることを疑問視するツイートを機に、署名キャンペーンを立ち上げた。ハリウッドで常習化していた性暴力やセクハラに声をあげたことから始まる「#Me Too」になぞらえられたこの運動は、ジェンダー規範が気づかれぬまま温存される日本社会の現状を可視化するものだった。また、Change.org でのキャンペーンに寄せられた多くの賛同の声（一部は資料として巻末に収録）やSNSによる草の根的運動の広がりは、自明とされてきたジェンダー規範や秩序に「否！」と叫ぶ人びとの存在を浮かび上がらせるものでもあった。

本書は、石川自身の過去の経験とツイッターから始まった運動の展開、それに対するバックラッシュの記録、そして労働と性の問題を考えるための対談などから成る。とりわけここで注目したいのは、運動に向けられたツイート上の批判や侮蔑、嘲笑の引用を一つずつ引用し、反論コメントと解説を掲載した第2章「#KuToo　バックラッシュ実録　140字の闘い」である。この章をめぐっては、掲載されたツイートの投稿者が著作権侵害等で賠償や出版差し止めを求め、東京地裁が引用は適法と判断、石川と版元である現代書館が勝訴した経緯がある。

このバックラッシュ実録をみると、石川が言うように、「物言う女」への嫌悪の根深さがよく分かる。性規範が浸透した共同体で女として生きる者は、日常において大なり小なりの暴力を受けやすい。なぜならそこでは意識的であれ無意識であれ、男女という二元化された性差に優劣の序列が付加されており、女はその序列に基づく侮りや蔑みを受けやすいからである。例えばレベッカ・ソルニットは『説教したがる男たち』（ハーン小路恭子訳、左右社、二〇一八）で「男は自分が何を言っているのかわかっていて、女はそうではない」かのように、女に「説明／説教したがる」男が多数存在し、女を沈黙させてきたという。これは、女として日々を生きる筆者から見ても説得力がある。同じ立場の男に比べていかに自分が軽んじられるか、見くびられるか、説教ないし攻撃の対象にされるかを、日常の中で嫌というほど思い知らされてきたからだ。またレベッカ・ソルニットは「説教したがる」男たちの存在を権力関係の一形態と捉えるべきと述べているが、女を貶めるのが男ばかりではない理由もここにあるのだろう。権力的優位にある男の目線を内面化した女は、自分もその対象となることを忘れたかのように、女を侮り、蔑む。そして権力構造の劣位に置かれた女たちは、傷つけられやすさ、すなわち「被傷性」（Vulnerability）を抱えることとなるのである。さらに、女は控えめに、女は優しく等々、根強くはびこるジェンダー規範から逸脱する者や、男を性的に惑わせるように見える女は、激しい批判や誹謗中傷にさらされる。

　石川が指摘するように、「#KuToo」に向けられたＳＮＳ上の攻撃的発話は、提起された問題を考えるためのものではない。むしろそれらは、制度的権力に依って道徳的懲罰を与える立場にあるという優越感、男性優位社会で自分（男あるいは男目線を内面化した女）たちが持つはずの優位性を確認し合い、団結感を得るための発話であるかのようだ。本書掲載の批判や誹謗中傷のツイート、リプライがパターン化されうるのも、それゆえかもしれない。だが、男たちの優越感を充たす客体となるのは、もう真っ平だ。応じなければ貶められたままとなり、応じればさらなる攻撃を受ける理不尽な場で「クソリプ」に対抗する石川の姿は、沈黙を破り一歩を踏み出そうとする女たちの背中を押してくれるのである。

　すべての人が強制されることのない社会へ。ＳＮＳで人びとがつながり、今は特定の代表者を立てずチームで構造的差別に挑む「#KuToo」を、アナーキズム的運動と呼ぶことも可能だろう。また「被傷性」を抱える人びとが状況について考え、自分や自分と同じ境遇の他者を守るために、そして闘うためにフェミニズムが存在することを踏まえれば、本書はアナーキズムとフェミニズムの交差する地点にある運動といえるのかもしれない。すべてのフェミニストとアナーキスト、そしてその予備軍に読んでもらいたい一冊である。

（なかや・いずみ　二松学舎大学文学部准教授、日本近現代文学・文化）

◆現代書館（二〇一九）。

◇石川優実（一九八七年生まれ）　フェミニスト。元グラビア女優。二〇一四年公開の映画『女の穴』で初主演。芸能界の性暴力に関する「#MeToo」や、職場でのパンプス義務付け反対運動「#KuToo」を展開。世界中のメディアで取り上げられ、英ＢＢＣ「１００人の女性」に選出される。

ブレイディみかこ『ぼくはイエローでホワイトで、ちょっとブルー』

英国社会の中で現代の諸問題に向き合う姿を描く

岡野幸江

ブレイディみかこは一九九六年から英国ブライトン在住のエッセイストである。英国で保育士の資格を取得、「最底辺保育所」で働いていた経験がある。本書は、息子の周囲で巻き起こる些細な事件や人々との触れ合いを通して、現代の様々な問題に向き合ったエッセイ集である。パンクな「母ちゃん」である著者と息子とのウイットに富んだやり取りやしなやかな問題解決の方法は、今を生きる私たちに様々なヒントを与えてくれるだろう。

息子は、小学校は中産階級の子供が通うカトリック系の公立学校だったが、中学校は地元の元底辺校と呼ばれる公立学校を選んだ。カトリック校は移民の子も多く「人種の多様性」があるが、白人労働者が多く居住するその地区の学校はレイシズムがひどく荒れていると噂されていた。息子は、アイルランド出身で変わり者の父が銀行を辞めトラック運転手になったこともあり、家庭に負担をかけまいとしたらしい。その中学校は音楽や演劇を通して生徒の自主性を伸ばし、今や底辺校から抜け出し注目を浴びる学校となっている。息子は「チンク（東洋人の蔑称）」と差別されたりもするが、レイシストである子とも友人となり学校に馴染んでいく。

著者の住む地域は、払い下げられた公営団地を購入し改装して暮らすミドルクラスと以前からそこに住む貧困層、その後建てられた高層公営団地に住むさらに貧しい層に階層分化し対立している。公立学校には低所得家庭の給食費が無料となるフリーミール制度があり、その制度を受けている生徒が万引きなどをするのは日常だった。高層公営住宅に住むゼロ時間契約（日本でいう非正規雇用）で働くシングルマザーの子ティムが万引きをして見つかりいじめられているのを、同じ団地に住む子が助けるが、彼はクリスマスコンサートで自分たちのダークな生活をラップにし「万国の万引きたちよ、団結せよ」と歌って、二分された保護者の中で労働者階級の親たちから拍手喝采を受ける。

英国では二〇一〇年以降、保守党政権の緊縮財政で教育や福祉の予算がカットされたため、教師たちがお腹のすいた生徒に自腹で食べ物を買い与えるなどは日常的なことで、貧困地区の学校は衣食住から面倒を見なければならないのだという。著者も忘れ物などの制服を修復し格安に売るボランティアに参加すると、息子はリサイクル品の中に制服の替えを買えないティムにちょうど良いサイズを見つけ、プライドを傷付けずに渡す方法を母と考える。家に呼び帰りがけにさりげなく渡すことに成功した息子は、彼の後姿に目をこする様子を見て安心するのだが、その優しい思いやりに心打たれる。また事情により親と離れ新たな家庭で育つことで運命を変えていく里親制度や、ＬＧＢＴＱに関する授業をきっかけに息子が友人と考えるセクシャル・アイデンティティの問題なども取りあげられている。

こうした非正規雇用のシングルマザーの子、東欧からの移民の子、アジアやアフリカ系労働者の子、そしてイエローでホワイトである息子のような多様な子供たちを取り巻く出来事は、近年の経済的格差、人種や民族、ジェンダー、セクシュアリティ、ナショナリズムなどをめぐる対立と分断を顕在化させ、いわば現代社会の縮図ともなっている。

息子はシチズンシップ・エデュケーションの試験で「エンパシーとは何か」問われ、「他人の靴を履いてみること」と答えたという。著者は「シンパシー」と「エンパシー」は似ているが、前者は他者に対して抱く「感情的行為」で、後者は他者を想像力で知ろうとする「知的行為」だと話す。息子は、ＥＵ離脱やテロリズムなど現代の混乱をのりこえるには、自分とは違う立場や違う意見を持つ人々の気持ちを想像することが大事で、「これからは『エンパシーの時代』だ」と教えられたのだ。雪の日、ホームレスをカフェやナイトクラブに案内して食料を配り、ローカルラジオ局が支援のハブを伝え、多くの支援が集まったことを例に、著者は「英国の草の根の機動力」や「地べたの相互扶助の精神」は、教育システムの中にも根付いているという。

著者には九〇年代後半以降、社会問題化する貧困層の膨張を取りあげた『アナキズム・イン・ザ・ＵＫ――壊れた英国とパンク保育士奮闘記』（Ｐヴァイン、二〇一三）、英国の経済格差と多様性について考えた『子どもたちの階級闘争――ブロークン・ブリテンの無料託児所から』（みすず書房、二〇一七）など多数の著書があり、そこでは国家頼みではない地べたの相互扶助、混迷する現代の生きづらさからの解放や若者の未来に対する期待などが独特の語り口で説かれている。最新刊に『他者の靴を履く――アナーキック・エンパシーのすすめ』（文藝春秋、二〇二一）もある。

（おかの・ゆきえ　日本近代文学研究者）

◆新潮社（二〇一九）、新潮文庫（二〇二一）。

◇ブレイディみかこ（Brady Mikako　一九六五年生まれ）　英国ブライトン在住の保育士、ライター、コラムニスト。他の著書に『ヨーロッパ・コーリング――地べたからのポリティカル・レポート』『女たちのテロル』（ともに岩波書店）、『女たちのポリティクス――台頭する世界の女性政治家たち』（幻冬舎新書）など。

家父長制を解体せよ——アナキストの女性解放

海老原弘子

　二〇二〇年に「BS世界のドキュメンタリー」で放送された『出産しない女たち（原題：[M]otherhood)』に登場する十五人の女性は、居住地（英国、スペイン、フランス、イスラエル…）や職業（コメディアン、作家、教師、助産師、学者…）、そして年齢もバラバラだが一つの共通点がある。「母親になるのは選択肢の一つに過ぎない」と考えていることだ。監督はバレンシア（スペイン）公共テレビの元同僚イネス・ペリス・メストレとラウラ・ガルシア・アンドレウ。作中でチリの作家リナ・マルアネが発する「子どもを望む全ての女性は子どもを持つべきなのかもしれない。問題はどうして子どもを望まない女性が子どもを持つべきなのかということだ」という問いが制作意図を的確に要約していると語る。国や文化が変わっても社会のタブーとされる「出産しない女」の主張を正面から取り上げた本作がバレンシアで誕生したのは必然といえる。そこは一九三〇年代に「母親になるのは選択肢の一つ」と主張したルシア・サンチェス・サオルニル（Lucía Sánchez Saornil　一八九五―一九七〇）が晩年を送った場所なのだから。

　サオルニルが象徴するアナキストの女性解放運動は、アナキズム運動を男性中心主義、女性参政権運動をブルジョワ的と批判したことから、アナキズム史からもフェミニズム史からも忘れ去られてきた。その歴史は女性を男性より劣った存在とみなして出産育児家事に社会的役割を限定する家父長制との闘いの記録であり、始まりは十九世紀半ばに遡る。「全ての人間は対等であるべき」と考えたアナキストは家父長制の男尊女卑に問題意識を持つと、主従関係を生む制度のもとで男女平等は不可能だと婚姻を否定し、対等な関係を築くための礎を〈フリー・ラブ〉という概念に求める。完全な自由意思による結びつきならば対等な関係が可能になるはずと考えたのだ。

　十九世紀末から欧州では人口論のマルサスの影響で貧困対策として「出生数を

調整する＝減らす」という〈バース・コントロール〉の思想が広まる。キリスト教では生殖への人間の介入は神への冒瀆とされていたため、教会の権威を否定するアナキストが支持層となり、適切な養育を得るという「子どもの権利」に加えて妊娠出産は女性に多大な負担をかけると「女性の権利」の観点からも出生数の制限を主張した。〈フリー・ラブ〉と〈バース・コントロール〉をさらに進めた〈フリー・マザーフッド〉を提唱したのがエマ・ゴールドマンである。「種族保存のために健康と若さを犠牲にするのは女性なのだから、産むか産まないか、いつ何人産むのかを決めるのは女性である」として、出産を女性の主権と自己決定権の問題として位置付けた。

一九三六年、アナキズム革命中のスペインを訪ねたゴールドマンは、女性アナキスト組織「自由な女（Mujeres Libres）」が〈フリー・マザーフッド〉から生まれた〈自覚的な母性（Maternidad Consciente）〉を実践しているのを目にして深い感銘を受ける。〈自覚的な母性〉とは「女性は母親になるかどうかを主体的に選択するべき」という思想で、サオルニルはメルセデス・コマポサダとアンパロ・ポックとともに創設した「自由な女」を通じて実践に移していた。保健相に就任したフェデリカ・モンセンが女性に「産まない選択肢」を与える中絶を合法化し、アナキストの女性解放運動は革命下のスペインで一つの頂点を迎える。その後、ドイツのナチス政権とイタリアのファシスト政権の支援を受けた反乱軍の勝利で「スペイン内戦」が終結。家父長制の軍事独裁体制が女性解放運動の成果を跡形もなく破壊しようと試みるが、思想を葬り去るのは不可能だ。三人の「自由な女」はゴールドマンと同様に「出産しない女」として生涯を終え、その思想は二十一世紀を生きる女性たちに受け継がれている。

日本では「種族保存の必要の前に女の全生涯は犠牲にせらるべきものか」と問いかけた平塚らいてうが創刊した『青鞜』によって、家父長制への批判と女性の自己決定権の問題が提起された。平塚が「第二の青鞜」と呼んだ『婦人戦線』を主宰した高群逸枝は、スペインの革命を予見したかのようなテキストを一九三一年に書いている。

「従来の革命は必ず性の自由思想を伴ったけれども、それは常に〝性欲の自由〟を意味するものでしかなかった。即ち男子専制的革命であったからだ。これに反して真に自覚した女性が革命に参加する場合には、その革命に伴う性思想は〝生殖の自由〟を意味するものである」（「婦人戦線一年　婦人思想史」より）。

真に自覚した女性たちに告ぐ。家父長制を解体せよ！

家父長制を知るための三冊

＊日本と西欧の家父長制を解説した中村敏子著『女性差別はどう作られてきたか』集英社

＊家族を権力構造として分析する信田さよ子著『家族と国家は共謀する』ＫＡＤＯＫＡＷＡ

＊搾取のシステムとしての家父長制の機能を暴くシルヴィア・フェデリーチ著『キャリバンと魔女――資本主義に抗する女性の身体』小田原琳・後藤あゆみ訳、以文社

（えびはら・ひろこ　アナキズム愛好家）

アナキズムの言葉

エマ・ゴールドマン

アナキズムは、多くの人びとが思っているような、とびぬけた発想から生み出された未来を描く理論などではない。アナキズムは私たちの生活の中にある生き生きとした力であり、常に創造され続ける新しい状況なのである。

エマ・ゴールドマン「アナキズム その真の目的」(一九一〇年、田中ひかる訳)
出典:Emma Goldman, 'Anarchism: What it really stand for', in: *Anarchism and Other Essays*, New York: Dover, 1969.［First published by Mother Earth Publishing Association in 1910］

7

暮らしの中のアナキズム

生活を変える小さな実践

「今・ここで」に焦点を当てる現代のアナキズムは、日常生活の中でどのように取り組まれているのか。格差、差別、エコロジー等、世界に共通する諸問題に向き合う身近で小さな実践の試み。

ジェームズ・C・スコット『実践　日々のアナキズム——世界に抗う土着の秩序の作り方』

息苦しい支配と自発的な服従から逃れるためのヒント

田中ひかる

本書の著者で、政治学・人類学者、そしてイエール大学教授のスコットは、日々の生活の中で「アナキズム」を「実践」する方法を29の「断章」で示している。ただ、本書は「マニュアル」ではない。ここでは、スコットが思いつくままに述べていることから「実践としてのアナキズム」を読み取っていきたい。

スコットは、「階層制や国家からの支配を受けることのない協力関係」をアナキズムと呼ぶ。この協力関係は、アナキズムなど全く知らない人々の精神や行動の中に見られるという。もう一方でスコットは、国家が人々を解放する役割を果たすこともあるから、国家を「飼い慣らす」必要がある、と述べている。国家がない社会が本当の解放だ、と考えているアナキストたちとスコットはこの点で対立するが、彼の意見は全体としてみれば、多くのアナキストたちの言ってきたことと合致する。

スコットは、長い人類史において、服従するよりも、支配や強制のない中で、人間がお互いに協力しながら生きてきた時間のほうがずっと長い、と見ている。しかも人々は、支配者に対して、日々、小さな、そして目に見えない抵抗と沈黙の不服従を繰り返してきた。これが国家や軍隊にダメージを与え、最後には公然たる蜂起になったこともあった。

しかし過去二〇〇年ほどのあいだに、人々は国家によって飼い慣らされ、抵抗しなくなった。なぜか。私たちの多くが、家父長主義的な家庭で育ち、その後の人生では、学校・軍隊・会社・介護施設などといった制度のなかで、自発的に服従することを学び、これを習慣として身に付けていくからである。

それにもかかわらずスコットは、日常生活の中で、さまざまな「実践としてのアナキズム」を試みることは依然として可能だと述べている。その中には、「理にかなっていない」という理由から、法律をこっそりと破るという実践も含まれる。これは、いずれ国家に対して抵抗しなければならない時に向けての準備である。そもそも、法的秩序と対決する数々の「違法行為」が、過去数百年にわたる重要な解放運動の発火点だった。したがって、些細な行為であっても、計り知れない意味がある。

こういった、これまで繰り返されてきた「実践」は、私たちの日常、つまり「土着」による「秩序」を基盤としてきた。しかし、支配する側から見れば、「土着」は混乱とカオスであり、整然とした「秩序」に変えなければならない。そのため支配者たちは、その土地の言語や地名などを標準化し、都市計画や「再開発」によって「土着」というカオスを破壊してきた。

しかし「土着」は、そこで生きている人々によって作り出された「秩序」である。支配者から「無秩序」と見なされても、住人は、自分たちこそが「秩序」を作り出しているという強い自負をもつ。だから、都市計画と再開発で何度も破壊されてきた都市でも、人はいつでも目に見えない抵抗を通じて、自分たちの「秩序」を守ってきた。しかも、無秩序、無計画、そして混乱などと非難されるような状態があるほうが、人々は「遊び」を通じて、アナキズムの中核的な要素である、創造性や自発性、自律性、そして協力と相互性を発揮する。計画や目的の設定は、自律性や独立性、協力や相互性に基づくアナキズムの敵なのである。

スコットは、そういった自律や独立を好む人々を、自分の所有する畑を自分で耕して作物を売っている農家や、小さな店を経営して生計を立てている店主に見出している。しかも彼らは、農村や都市で人と人との「相互性」を作り出す主体である。ただし、農地や店を持っていない人であっても、自分のことは自分で決めたい、という欲望は、だれでも持っているとスコットは指摘している。そうだとすれば、中産階級であろうが奴隷であろうが、人はだれでもアナキズム的な要素を内面化しているだけでなく、日常の中で発揮できる能力を持っているのである。

本書は、日常的な「実践としてのアナキズム」を通じて、そして、「無秩序」と呼ばれる「秩序」を作り出し、その中で自律性と相互性を実現していくことを通じて、この息苦しい支配と、自発的に権力に服従する日々から、少しでも逃れ、あるいは抵抗するヒントを、私たちに伝えている。

（たなか・ひかる　明治大学法学部教員、社会思想史）

◆岩波書店（清水展／日下渉／中溝和弥訳、二〇一七）。

◇ジェームズ・C・スコット（James C. Scott　一九三六年生まれ）　イェール大学政治学部・人類学部教授。他の著書に『モーラル・エコノミー――東南アジアの農民叛乱と生存維持』（高橋彰訳、勁草書房）、『ゾミア――脱国家の世界史』（佐藤仁監訳、みすず書房）など。

高井ホアン『戦前不敬発言大全――落書き・ビラ・投書・怪文書で見る反天皇制・反皇室・反ヒロヒト的言説』
『戦前反戦発言大全――落書き・ビラ・投書・怪文書で見る反軍・反帝・反資本主義的言説』

市井の人々の反骨的言動から見えるもの

高井ホアン

「実力のあるものをドシドシ天皇にすべきだ」「金属など献納しません相当の相場で買え」「天皇陛下の御写真を二つ折とし（略）遺骨帰還を模倣する悪戯」「戦争をする様な総理大臣や陸軍大臣は殺して仕舞え」

本書『戦前不敬発言大全』『戦前反戦発言大全』は、戦前の特別高等警察（特高）の内部誌『特高月報』及び憲兵隊の記録より、それらに掲載された、日中戦争期から敗戦まで（一九三七―一九四五年）の一般庶民の反戦・不敬他諸々の反骨的言動をそれぞれ収集したものである。

私たちは日本史の授業において戦前の社会について学び、『言論の自由がなかった』『治安維持法』などという情報や用語を知る。プロレタリア小説家小林多喜二の拷問死などを始めとして、共産党やキリスト教などの組織が攻撃されたという話は良く知られている。だが、一人・末端の一般の庶民にとってどんな影響がありまたどう直面してどんな意志を持ったのかということになると、なかなか知るのは難しい。平たく言えば、「我々の曾祖父母・祖父母たちは、果たしてただ従うままだったのだろうか？」。それは現代の私たちにも繋がる問いである。私たちもいつかは歴史に問われるのだ。だがそんな歴史の一端を知るための記録が、皮肉にも権力側の手により「特高月報」としてまとめられていた。

特高は、日本の全てを監視していたといっても過言ではない。左翼運動だけではない。自由主義、キリスト教などの宗教、労働運動、小作争議、台湾・朝鮮人、水平運動（部落解放運動）、国の意に沿わない右翼・革新運動。そしてその中に「庶民」も存在する。特高は「庶民」の声を最初に拾い上げる存在でもあった。無論、後に冤罪と分かる事例や差別に関する記録も現れており、注意を要する部分もある。

本書に現れる庶民の中で、パッと目に付いた職業を挙げてみよう。行商、土工、大工、農夫、仕立職、金貸、古物商、溶接工、村議、時計修繕業、二等兵、華道の先生、無職、他諸々。そして現代のように東京や大阪への一極集中ではない時代、樺太から沖縄、さらには台湾や中国まで、各地で彼らは表に出ない、出してはいけない声を残していた。身内との会話、隣組会議での放言、些細な疑問、素直な怒り、便所の落書き。これらを見ると、灰色に彩られがちな一九三〇年代から四五年のイメージが、少しは色彩を帯びてくるように思える。これらの行動自体が貴重な時代の記録でもある。保守派がたまに、政治・歴史認識問題などに絡め、戦前日本の「誇り・美徳」などを称揚することがある。ならば、本書に現れる庶民の声も参照してみてほしい。

庶民の言動は、特高月報の目次によれば「共産主義運動の状況」項の「左翼分子の反戦策動調」「不敬不穏事件調」にまとめられており、反骨的な庶民がどのようにみられていたかのヒントにもなっている。実際、社会主義に関する知識を持つ人物も出てきたりするのだが、この分野で監視・摘発された人物の大半はそのような知識を持っていないと思われる文字通りの大衆の一人である。恐らくほとんどの人々は、無政府主義ないしはバクーニンやクロポトキンのことなどほとんど知らなかっただろう。幸徳秋水や大杉栄のことなら知っている者もいただろうが、むしろ当時なりに「大逆犯」的なとらえ方をしていたかもしれない。しかしそんな人々でも、市井の暮らしの中で、広い意味でのアナーキズムを発揮した。不条理に対する怒り、権力に対する不信、戦争に対する憎しみ、信頼に基づく小さな関係の構築。これらの光景は八十年前、九十年前の遠く離れた出来事ではなく、現代の私たちの生活と地続きであろう。

私は中学高校以来、混血としての出自も絡んでか、市井の中で抗う人々、歴史の狭間で表に出ない人々の声というものに強い興味を持ってきた。そんな中で戦前の庶民の言動を知り、それを（なぜか？）Twitter で Bot としてまとめ発信して調査と紹介を続け、機会を得て本書の出版に至った。まず特異な言動から Bot で触れていったように、興味本位な部分も確かにある。だが、ますます閉塞しつつある現代において、このような「暮らしの中のアナーキズム」の入り口があっても良いはずだ。私としては、この記録を例えば笑って読んでみても構わないと思っている。当時の漫才や地口や落書きなど、それに値するユニークな場面もある。ただ、「特高警察」的なものが現代にも引き続き存在していることだけは忘れないでほしいとも思う。これで「笑える」平和な世界がいつまでも続くように願いつつ。

（たかい・ほあん　作家・ライター）

◆パブリブ（二〇一九）。両書は「戦前ホンネ発言大全」の第一巻と第二巻として刊行。

◇高井ホアン（一九九四年生まれ）　作家・ライター。パラグアイ人とのハーフ。高校時代から反権力・反表現規制活動を行い、二〇一三年から Twitter 上で調査と紹介を続ける。雑誌『情況』『現代ビジネス』等で連載。

大谷悠『都市の〈隙間〉からまちをつくろう――ドイツ・ライプツィヒに学ぶ空き家と空き地のつかいかた』

希望と未来のある居場所を自分たちの力でつくる

田中ひかる

数年前、全く面識のないドイツの若いアナキストから、近々日本に行くので会えないか、というメールがきた。会ってみると、ドレスデンのアナルコサンディカリストの組織で活動しているという。大学を出て仕事を探そうと思っているが、みんなで「ハウス・プロジェクト」をやっているから、そっちで活動をすることも考えている、と。「ハウス・プロジェクト」という言葉は初耳だったので、今度はこっちがドレスデンに行って、「プロジェクト」をみせてもらうことになった。その後、本書で扱われているライプツィヒのほうがたくさんの「プロジェクト」があるから、ということで、二人で同地に行った。あちこちで話を聞くと、行く先々で「オータニに聞けば何でも知っている」と言われた。この「オータニ」が本書の著者である。

大谷氏が本書で詳しく述べている通りなので、ここではかなり省略して「ハウス・プロジェクト」を説明しておこう。まず、住む場所だけでなく、そもそも社会運動の拠点がほしいと思った人々がNPO法人を作り、自分たちの希望に合った、空き家になって使われなくなった建物と土地が見つかれば、有限会社を立ち上げて買い取る。あとは、業者に頼らず、できるだけ素人である自分たちの大工仕事で建物を補修し、入居する。買い取り資金のために借りたお金は家賃から徐々に返済し、それが終わったら、今度はたまった家賃の一部を、別のプロジェクトの立ち上げの「連帯基金」として提供する。共同住宅は、完全な自治で運営される。しかも、土地と建物は、住民全体が加わる有限会社の共有財産とする。これにより、私有財産を資本主義市場から「引っこ抜く」。ベクトルは、地主によって共有地が奪われた「囲い込み」の逆に向かっている。

このプロジェクトの背景にあるのは、「新しい社会」を準備する拠点作りというアイデアであり、その起源は、一九八〇年代に北西ヨーロッパで高揚した空き家占拠（スクウォット）運動にある。立ち退きを要求する家主・行政・警察との紛争が絶えず、場合によっては排除されてしまうのがスクウォットのデメリットだった。だったら、自分たちで買い取って共有財産にしてしまおう。これが現在ドイツで「バズ・ワード」になった「ハウス・プロジェクト」である。このプロジェクトによって運営される共同住宅は増殖を続け、今やドイツ全土で一二〇ヵ所以上ある。

著者の大谷氏は、十年以上にわたりライプツィヒで「日本の家」というスペースを共同運営し、食事を作ってみんなで食べる「ごはんの会」やコンサートなどを企画して地域に根づいた活動を展開する一方、本書で扱われている、建造物の維持活動、共同農園・公園の設立運動、スクウォット、ハウス・プロジェクトなどを調査し、本書の基になる博士論文を完成させた。

これらの活動は、みな都市の〈隙間〉で生まれた。そして一見すると日本の「まちづくり」とよく似ている。しかしながら、最初から「まちづくり」をしたいと思ってはじめた人は一人もいなかった。では、なぜさまざまなプロジェクトが始まり、成功していったのか。それは、著者も含めた「素人」の「暇人」がいたからである。

失業者、生活保護受給者、難民申請中の人々、そして、暇な日本人。しかもドイツでは、生活保護受給者を「国から給料をもらっている」ようなものだと評し、プロジェクトに参加する彼らに敬意を示す人々もいる。その上、失業者がNPOで活動することに対して人件費を補助するという制度によって、プロジェクトで失業者が中心的な役割を果たし、難民申請中であれば住居と生活費を支給する、その代わり働いてはいけない、という制度があるおかげで、難民たちが「日本の家」で故郷の料理をふるまうようになった。

これは、日本とだいぶ違う。しかし、著者は次のように訴えている。

できるだけシステムに依存せず、システムに問題の解決を「丸投げ」するのではなく、まずは自分たちの力でやってみること、それによって経験や知識を蓄積することが大切だ。そうすれば、いざシステムが機能しなくなった時でも、一人ひとりが身に付けた力によって、状況を判断し、仲間と助け合いながら、生き伸びていくことができる。私たちの希望と未来は都市の〈隙間〉にあるのだ、と。著者の熱いメッセージにぜひ触れてほしい。

（たなか・ひかる　明治大学法学部教員、社会思想史）

◆学芸出版社（二〇二〇）。

◇大谷悠（一九八四年生まれ）　まちづくり活動家・研究者。二〇一一年、ドイツのライプツィヒの空き家でNPO「日本の家」を立ち上げ、日独で数々のまちづくり・アートプロジェクトに携わる。二〇二〇年四月より尾道市立大学非常勤講師。尾道では「迷宮堂」共同代表として活動。他の著書に『CREATIVE LOCAL――エリアリノベーション海外編』（共著、学芸出版社）、映像作品『40㎡のフリースペース――ライプツィヒ「日本の家」2015-2017』。

廣田裕之『社会的連帯経済入門――みんなが幸せに生活できる経済システムとは』

「金儲けではない生き方」を目指すための必読の好著

高橋 巖

「社会的連帯経済」とは、日本ではまだ馴染みのない用語・概念であるが、①「社会的経済」とされる協同組合等（農協＝JAや、生協＝COOP、信用金庫・信用組合、共済団体など）と、②「連帯経済」とされるNGO、NPO、フェアトレード、ボランティア団体（労働組合等を含む場合もある）等について、両者を統合し、社会的セクターとして役割を位置づけた概念である（本書著者と評者の整理は、細部で若干異なる）。

一般にいう「会社」＝株式会社は、家族で営むような小さい会社であっても、経営者に「利潤（儲け）」をもたらすことと、出資者である株主により多くの「配当」をすることが目的であり、「営利組織」と位置づけられる。一方協同組合等は、目的は利潤ではなく「出資する組合員（農協であれば農業者、生協は消費者）の事業・生活を支える」目的の組織である。無論、経営が赤字なら倒産してしまうから事業収支は成立させる必要があるが、事業で得られた利益（剰余金など）は、組合員に対し分配されることが原則になる。協同組合は、利益概念がないNPOやボランティア組織も含め、広く「非営利組織」と位置づけられる。

本書は、このように非市場経済・非資本主義的な事業・活動を意味する社会的連帯経済の考え方、世界の動きなどを分かりやすく解説している。著者は、社会的連帯経済を「資本主義の論理＝株主利益の最大化と無縁で、社会や環境に対して何らかの価値を提供すべく行われている経済活動の総称」としているが、利潤＝金儲けを目的とする「資本主義的な生活、会社や金に振り回された生き方」を拒否する人々には、必読の好著といえよう。

著者の廣田氏は一九七六年生まれ、スペイン在住の中堅研究者で、バレンシア大学で学位を取得、その後も現地で地域通貨や協同組合の研究を重ねながら、スペインやフランスでは社会的にも認知された「社会的連帯経済」の概念を日本でも広めようと、本書の執筆をはじめHPなどネット配信により、現地の新しい動きや情報を日本語で発信されている。

本書では、こうした「金儲けではない・助けあいの社会と経済」を目指す社会的連帯経済の各国での実態を、「第1部：世界各地で発展している社会的連帯経済」「第2部：分野別に見た社会的連帯経済」「第3部：社会的連帯経済を推進するさまざまなツール」の各項目で、最新の研究成果を踏まえ解き明かしていく。続く第4部では「日本における社会的連帯経済のさらなる発展に向けて」として、日本の協同組合の歴史を解説し、スペインやフランスと異なる環境の日本で「具体的にどうすべきか」のヒントも紹介されている。

資料的にも非常に重要な本書であるが、記述は平易で分かりやすく、興味を持った方であれば、読み進めるのに大きな困難はないだろう。

評者は、二〇一八年に在外研究でスペインに滞在した際、廣田氏の案内でスペイン国内の社会的連帯経済セクターである協同組合・非営利組織を数多く訪問・現地調査した。そこで、会社に雇われ命令されて働くのではなく、民主的で自己決定的な働き方と事業・活動に携わる人々の充実ぶりに衝撃を受けた。

スペインの協同組合の多くは、働く人たちが自ら出資してオーナーになる「労働者協同組合（労協）」が占めている。IT産業経験のある失業者が集まって、各自が出資して労協を設立し、WEBデザイン、営業、SEなどそれぞれ前職経験を生かしながら働き、金儲けではなく自らの生活のために事業を行い、得た利益は共同で分かち合う、といった事例が数多く存在する。スペインの若年失業率は非常に高い水準にあるが、（少なくとも新型コロナ禍以前は）街で混乱が拡がる状況にはなかった。これは、労協などに関わる人々の相互扶助＝助けあい活動が細かく張り巡らされ、地域で「飢え死にしない」セーフティネットがつくられている実態ゆえである。

日本でも、従来の農協や生協とはイメージの異なる協同組合＝労協が、二〇二〇年十二月にようやく法制化され、本格的に事業展開できることになった。これまでの協同組合が「認可制」であったのに対し、労協は「届出制」で自主的に設立できるなど、より自由な組織といえる。

「金儲けではない生き方」を目指す人は、本書を手始めに、労協の今後にも是非注目してほしい。

＊参考：日本労働者協同組合連合会HP https://jwcu.coop/

（たかはし・いわお　日本大学生物資源科学部教授、農業経済学）

◆集広舎（二〇一六）。

◇廣田裕之（一九七六年生まれ）社会的連帯経済研究者。他の著書に『シルビオ・ゲゼル入門――減価する貨幣とは何か』『地域通貨入門――持続可能な社会を目指して』（ともにアルテ）など。

コリン・ウォード『現代のアナキズム』

民主的で水平的な社会への夢と実践の軌跡

後藤あゆみ

アナキズムというと、強烈な個性をもった個人を想像しがちではないだろうか。本書にはそうした個人は全く現れない。むしろ、都市の貧困者による兵舎の占拠、社会変革など突発事態の際に現れる人々の自律的な秩序、リーダーのいない作業システム、自治コミュニティによる都市計画と管理、子どもたちのための町づくり、互いに学び教わりあう大衆学校、労働者による産業管理、近隣住民間の物の貸し借りといった相互扶助――こうした、無名の人々による日々の地道な実践が主役である。それは規模もさまざまで長く続くこともあれば短期間で終わることもあるが、いずれも「人々がその自治を拡大し、外的権威への従属を縮小する道となりうる社会変革」である。

コリン・ウォード（一九二四―二〇一〇）は、イギリスではアナキズム運動の主導的人物として知られているが、日本ではそこまで知られておらず、翻訳された本も私見の限りこの一冊のみである。そのため、まず著者についての紹介からはじめたい。イギリスのエセックスで生まれたウォードは十五歳の時に建築家の元で働くようになり、その後グラスゴーに移り住みそこで活発だったアナキズム運動に出会う。一九四〇年代から五〇年代にかけて建築家の元で働きながらアナキスト系週刊誌 *Freedom* の編集に携わり、その後一九六一年から七〇年にかけて月刊誌 *Anarchy* の編集者として活躍し、若い活動家・著述家を育んだ。一九七一年から七九年は都市・農村計画協会（一八九九年エベネザー・ハワードが創設）の教育担当者として活動し、都市計画の中で見過ごされがちな立場の人たちに関心を向けてきた。

建築家であり教育にも携わっていたコリン・ウォードは、本書のようなアナキズムをテーマにした本以外にも建築や教育、都市計画について多くの著書を残している。といっても、ウォードにとってアナキズムとそれ以外のテーマは別のものではなく、本書でも建築や路上の活用法、住民主体の都市計画・管理といった、自身が関わっただろう事例の中に人々の自律的な取り組みや感性を見出し理論づけている。特徴的なのは、コミュニティ・グループによる住宅計画、自治的な工場経営や建築における民主的な作業システムを取り上げ、いまある制度や組織に参加し、それを民主的で水平的なものに変えることを提唱する点だ。怠け仕事や逃避といったアナキスト学者がよくとりあげる非公式な抵抗行為よりも、参加し変えることに重きを置いている。

アナキズムの研究者として現在よく知られるデヴィッド・グレーバーが二十世紀末から隆盛した反グローバル運動に直接参与しながら論考を重ねてきたように、コリン・ウォードもまた、雑誌編集や都市計画へ参与することを通してさまざまな人たちと出会い経験を共にしながら書いてきた。また、本書が書かれた一九七〇年代前後に隆起したさまざまな社会運動——女性解放運動、ブラックパワー、学生運動、環境保護運動など——も色濃く影響を及ぼしている。ウォードは当時のこれらの運動の組織の在り方を、「自発的、機能的、一時的、小規模のゆるやかに連合する集団」と表し、そこにアナキズムの組織原理をみた。

遠い未来のユートピア社会を目指すのではなく、いまあるこの社会の中で、個人や集団が相互扶助に基づく関係をつくり、自律的空間を切り開き広げていく活動を広い意味での「現代のアナキズム」と呼ぶとすれば、いまから半世紀近く前に書かれたウォードのこの本の中にその萌芽はある。ウォードは十九世紀から二十世紀初頭に隆盛した「古典的アナキズム」にじかに触れ（一九三八年のメーデーでエマ・ゴールドマンがスピーチするのを聞き、第二次大戦中の兵役中クロポトキンを熟読した）学びながらも、それとは一線を画すアナキズムを提唱する。いつ実現するか分からない究極の目標を目指すのではなく、いま、あるいは近いうちに実現可能な取り組みを重ねていくことが大事であるとプラグマティックな考え方を示す。むしろ一つの自由な社会は実現不可能だし、人びとを一つにまとめることは望ましくないとさえ言っている。

とはいえ、ウォードもまたより自由で水平的な社会を夢見ており、そのために日々の実践を大事にしていた。また、その夢はジョン・ラスキン、ウィリアム・モリス、ピョートル・クロポトキンの夢を受け継いだものでもあった。先達がどんな夢を見てどう実践したのか、その軌跡を学ぶ具体的なテキストとして読んでみてはいかがだろうか。

（ごとう・あゆみ　歴史研究）

◆人文書院（西村徹、P・ビリングズリー訳、一九七七）。原書は *Anarchy in Action*. George Allen & Unwin, 1973.

◇コリン・ウォード（Colin Ward　一九二四―二〇一〇）　イギリスのアナキスト作家。一九六一年創刊の雑誌『*Anarchy*』ほか、アナキズム運動系雑誌の編集に携わる。他の著書に *Tenants Take Over*. Architectural Press, 1974. *Housing: An Anarchist Approach*. Freedom Press, 1976. など。

石井あらた『「山奥ニート」やってます。』

他者との出会いと協力を通じて自由を獲得する物語

田中ひかる

和歌山県の山奥にある五味集落に、NPO法人「共生舎」がある。都会で生きづらさを抱えている若者たちの自立支援を目的とする、シェアハウスである。だが著者は、自分を含め、ここに住む人たちを「山奥ニート」と呼ぶ。本書は、著者が二〇一四年からこの集落に住むまでのいきさつや、現在の山奥ニートたちの日常、そして著者の心境をつづったものである。山奥ニートに思想はない、という著者にとって、本書から「思想」を読み取ろうとすることは、迷惑かもしれない。しかしここでは、あえてアナキズムの視点から、個人の自由と独立、そして他者との協力という要素に注目して、本書を読み解いていきたい。

著者は、欲しいものがあっても親にねだらず我慢をしていた子ども時代を過ごしている。それは、交換条件で親の命令に服従して勉強をしなければならない、「ものをもらうと、代わりに自由が奪われる」と思っていたからだ。これが、その後ニートになった「気質」だと著者は書いているが、これはアナキズム的な気質でもある。

著者は、教育実習先の担当教員とそりが合わなかったことをきっかけに、大学在学中に引きこもりをはじめた。具体的には書いていないが、ある種のパワハラを受けたともに読み取れる。これが自己を否定的に見ていくきっかけになるが、アナキズムの視点から見れば、支配の拒絶である。

やがて外出できるようになるが、アルバイトがうまくいかず、著者は「一流のニート」を目指すようになる。「ニート」は、定職に就かず親元で生活する若者に対する蔑称である。しかし著者はニートの道を究めようと覚悟した。もともと蔑称だったものがやがて多くの人によって名乗られていくプロセスは「アナキスト」とも似ている。そしてアナキストと同様、ニート・引きこもりもまた、厳密に定義できないほど多様であり、著者は、インターネットの生放送や動画で発信することで、他者とのつながりを求めるニートになった。

二〇一一年三月に転機が来た。旅先で東北の震災を知り、著者は死を強く意識するとともに、「死ぬ瞬間に後悔しないようにしたい」と思う。その後、福島でボランティアに参加した際、「ニートや引きこもりの人は、大きな力をため込んでいる。でもそれを活かせる機会がない。でもこういう非常時では、それが何よりも助かる」と感謝される。この言葉によって、著者はニートの可能性を考えるようになる。その頃著者は、ウィキペディアの編集をしていた。お金にならなくとも「好きなことだけ」をやることで多くの人の役に立つ。しかし、震災後、世の中の価値観は前と変わらなかった。では自分が新しい社会をつくればいいのではないか、シェアハウスはどうか。著者は自分と同じことを考えている人をネットで探し、出会ったのが、好みも趣味も考え方も似ていたニートのジョー君だった。

山奥に住もうとしていたジョー君から誘われ、著者も山奥に住む決意を固めると、共生舎の代表をつとめる山本利昭さんに会い話を聞く。山本さんは過疎地の可能性について話した後、今の世の中は生きづらすぎる、人にはそれぞれ「自分にあった履き物」がある、なのに今は「既製品の靴に、無理に足を押し込んで履いている」、「靴に足をあわせるのではなく、自分に合わせた履き物をつくる」、そのための時間と場所が必要だ、共生舎は、いろいろな生きづらさを抱える人が定住できる場所になる、と熱く語った。著者は山本さんの話に心から共感する。

山本さん亡き後、著者たちニートが共生舎を運営している。山奥では人との距離がほどほどなのでストレスがなく、陰口も争いごともない。月二万～三万もあれば生活できるから、それほど働く必要もない。だから暇になり、自分だけのために日々を過ごすことができる。

著者は言う。これだけ生産性が向上しているのだから、もっと楽ができるはずだ、「ニートは人類が目指すべき場所」だ。「働く」という「条件」をつくったら生きづらくなり、自由が奪われるじゃないか、と。著者はそのような「条件」を拒否することで、「限りない自由」を手に入れた。したがって本書は、アナキズムの視点から読めば、子どもの頃から自由を大切にしてきた著者が、さまざまな人々との出会いと協力を通じて自由を獲得する物語なのである。

（たなか・ひかる　明治大学法学部教員、社会思想史）

◆光文社（二〇二〇）。

◇石井あらた（一九八八年生まれ）　山奥ニート。大学に進学するが、ひきこもりとなり中退。二〇一四年三月から和歌山県の山奥の限界集落に移住。廃校の小学校を改装したＮＰＯ法人「共生舎」で、二十～四十代のニート十数人で共同生活を送る。

互いに対等で肯定的な人間関係を作りたい

鶴見済

我々の日々の生活でも人間関係において、上の人と下の人ができている。例えば気が強くてバリバリと相手に向かっていくタイプの人はたいてい優位に立つことができて、気が弱い人は従属的な立場に置かれがちだ。そういうことのない人間関係は作れないのだろうか。

「不適応者の居場所」という、つながりをなくしがちな人がつながりを作る集まりを開いて、もう二年以上になる。月に一度イベントスペースか公園の一角に会場を作り、インターネットで呼びかける。三十人から四十人の参加者がやってきて、お酒も含めた飲食をしながら会話をする。

誰かと話したい人どうしが出会って話すのは、最もシンプルな助け合いの形だ。ただし初対面の人どうしが話をする以上、いつもひとつだけ注意事項を書いている。それは、「お互い様の気持ちで相手を思いやること」だ。これひとつで大体足りてしまう。こうしてお互いに上下がなく対等で、肯定しあえる場を作りたい。

そしてこんな助け合いの場を作りたいと思ったのは、様々な贈与や共有の活動をしていたからだった。

少し前に『0円で生きる』という本を出した。この本で紹介したのはまず、贈与や共有、あるいは助け合いのやり方だ。そして、こうした共有や助け合いの歴史などもまとめている。

贈与の項目で紹介しているのは例えば、JR国立駅前の街頭で九年ほど仲間たちと続けている「くにたち0円ショップ」だ。この話も随分してきたのだが、やはりこれなしにはうまく語ることができない。

これは使わなくなった物を街頭に持ち寄って、道行く人にあげてしまうというアクションだ。毎月SNSで参加者を募ってやっている。

主催者と呼べるのは五、六人の仲間だ。新聞や雑誌で繰り返し紹介されるので、今やよく参加してくれる常連と呼べる人は、さらに十五人くらいはいるだろうか。

覗いてくれる人とは頻繁に話すし、物を貰った人からお返しの差し入れが来ることも多い。参加者どうしでも食べ物などを提供しあうし、本やCDが参加者の間をぐるぐる回っていることも多い。

自分としては何よりもこのつながりややり取りが面白くてしかたないので、何年やっても飽きることがない。

他にも数え切れないほどの、共有や助け合いのやり方を書いている。共有としては例えば、人を家に泊める、互いの家で一品持ち寄りのパーティーを開く、物の貸し借り、ヒッチハイク（座席の貸し借り）のやり方、等々。

これらを自分でもやってみて思ったのは、こうしたやり取りは〝経済〟ではないなということだ。例えば贈与と言えば、物のやり取りを主に指している。物なら確かに経済と言える。けれどもこれが、世話などの物以外のやり取り、さらに手紙やメールなど言葉だけのやり取りとなってくると、経済とは呼べなくなってくる。

それでは何かと言うと、人間関係としか呼びようがないものなのだ。物や世話のやり取りは、人間関係のなかのひとつの形にすぎない。

相手に接する時に、こちらが好意を向ければ好意が返ってくるし、悪意を向ければ悪意が返ってくる。贈り物を貰ってお礼も言わなければ、おそらく次はないだろうし、悪意の言葉を向けている相手から贈り物は来ない。

人間関係にはそんな法則があり、その法則に従って物や世話が行ったり来たりする。

人の幸せや不幸を考えるうえで、経済や政治からの分析は随分多いけれども、人間関係から理論が組まれることはほとんどないように思う。けれども人間関係は、そんなに軽く見ていいものではない。

もともと江戸時代以前の村の生活は、こうした相互扶助によって成り立っていた。田植えも屋根の葺き替えも、道の整備も、村民が互いに力を合わせてやっていた。

明治以降に相互扶助がなくなっていったのは、まずは本格的にお金が入ってくることによって、お金を使って人にやってもらうようになったからだ。さらには行政が税金を取ってやるようになったり、また、田植えのように機械で簡単にできるようになったものもある。それと同時に互いを思いやる気持ちも、減っていっただろう。

もちろん江戸時代以前の村の人間関係にも、問題が多かった。特にこうした助け合いと表裏一体のものとして、村八分のような制裁があったのは見過ごせない。また上下関係やいじめ、陰口も今よりはるかに多かっただろう。

けれどもこれらを今の我々が、もっと優れたものに変えていくことはできるはずだ。助け合いながらも、互いが対等で肯定的な人間関係の場は作れる。そのような「いいところ取り」をやっていくことが大事だと思っている。

（つるみ・わたる　フリーライター）

◆新潮社（二〇一七）。

◇鶴見済（一九六四年生まれ）　本書巻末の執筆者紹介参照。

家族の枠組みを超えた食のあり方を考える

藤原辰史

本人は望まないにもかかわらず、独りで食べる食のあり方を「孤食」と呼び、地縁や血縁に基づく共同体の成員として食を(場合によっては神と)共有するあり方を「共食」と呼ぶ。本書は、そのはざまにある食の形式を、歴史学的、社会学的、生物学的に思考したエッセイである。

「はざま」というのは、孤食ほど孤独ではないが、共食ほど強い人間関係を求められない、という意味である。たとえば、ある子どもが、家族と一緒に食べたいにもかかわらず、両親が家計をやりくりするために仕事に出ていて独りでテーブルに座って何かを食べているとする。この孤食状態下では、食を公開して、人間関係を築き上げるという人間特有の能力が機能しない。さらに、食行為が本来的に持っている交感神経から副交感神経への自律神経のスイッチが効きにくい。かといって、現代社会では、夕飯時に孤食が常である子どもを強制的に一ヵ所に集めて、集団給食をさせることもできないし、望まれないだろう。

その代わりに、現在、「子ども食堂」が日本で広まっている。二〇二一年現在で五〇〇〇件を超えている。子ども食堂は、縁食の典型である。なぜなら、独りで食べていても、大人や子どもと一緒の空間で食べているのであり、誰かその場にいる人間のケアを受けやすい場所にある。また、友だちやスタッフと遊んだり、手伝っている学生たちやお年寄りに宿題を教えてもらったりすることで、子ども食堂を愉しんでいる子どもも多い。

産業構造の変化で雇用形態が大きく変化し、家族構成も、独身世帯やひとり親世帯が増え、多様化している中、食の形態もそれにともなって大きく変化してきた。一家団欒だけが食の幸福な形態である、という考え方が、すでに家族に社会のあらゆる矛盾を回収させようとする政治と無関係ではない。

『縁食論』では、自民党改憲草案に見られるような家族絶対主義を、それが社会の矛盾を家庭、とりわけ女性に押し付けることを正当化するものとして批判し、家族の枠組みを超えた食のあり方を考えている。

縁食の原型は、島根のある農家の縁側での食事風景である。十時と十五時には、「たばこ」と呼ばれる休憩時間があり、そこでは、泥のついた長靴を履いたまま縁側に座り、お茶を飲んだり、お菓子や漬物を食べたりする。そのさいに近所の人が集金などの用事があって来ると、そこに座ってお茶やお菓子を食べることもある。座りやすく、立ちやすいというこの空間は、まさに家の「ふち」であり「へり」である縁側が、外と内をつなぐ境界線でもあるから可能なのである。

『縁食論』が投げかけるのは食の形態の提案だけではない。大正期の日本にかつてあった公衆食堂や、誰でも入ることができるインドのシク教徒の無料食堂、社会から漏れ出た人たちが気遣いあう喫茶店を描いた津村記久子の小説『ポースケ』を参考にしながら、食の脱商品化のあり方を思考実験する。食の脱商品化は、実現のためには大きな困難が待ち受けていることは否定できないにせよ、国家主導のベーシックインカムによる福祉の一元化とは異なり、人間の生きる最低限の食事を与えるだけではなく、ボトムアップ型の人間関係の形成をもたらす可能性がある。

さらに、『縁食論』はエコロジカルに展開していく。人間は、他の生命の死骸を食べなければ生きていけない、という生物学的事実をもとに、縁食空間は、人間と自然の縁を切り結ぶ場でもある、と論じる。農家が市場では出回りにくい野菜を子ども食堂に運ぶように、食の商品化による食料廃棄を抑えるだけではない。食べものを多めに作って待っているからいつでもおいで、という縁食空間からの呼びかけは、「漏れ」の空間である。ちょうど、植物が根から栄養素を放出し、微生物と共生社会を築くことで、土壌の栄養を摂取しやすくするように、人間の大腸でも、人間は栄養を放出し、腸内細菌を活性化させる。この「漏れる」モデルは、まさに縁食が、そこで食べる人間に対する恩着せがましさを軽減することの理由であり、中央集権的福祉モデルとは異なるボトムアップのケアが生まれやすいことの理由である。土壌の「地下レストラン」と、体内の「腸内レストラン」の接点として、縁食空間があるとすれば、それは、社会問題のみならず、環境問題に対するアナーキックな対抗拠点ということさえできるだろう。

（ふじはら・たつし　京都大学人文科学研究所准教授、農業史）

◆ミシマ社（二〇二〇）。

◇藤原辰史（一九七六年生まれ）　京都大学人文科学研究所准教授。専門は農業技術史、食の思想史。他の著書に『分解の哲学――腐敗と発酵をめぐる思考』（青土社）、『食べるとはどういうことか――世界の見方が変わる三つの質問』（農山漁村文化協会）、『給食の歴史』（岩波新書）、『ナチスのキッチン――「食べること」の環境史』（水声社、決定版は共和国）など。

「小さな暮らし」を基盤に自分の「天職」を深める

塩見直紀『半農半Xという生き方』

田中ひかる

著者の塩見氏は、勤務していた会社の社内で立ち上げた一人部署「ソーシャルデザインルーム」で社会貢献事業における企画や運営を担当した。この部署で働く中で、内村鑑三『後世への最大遺物』と星川淳『エコロジーって何だろう』という二冊の本に出会う。内村は三十三歳の時、講演で「我々は何をこの世に遺して逝こうか。金か。事業か。思想か」と問いかけていた。他方、エコロジストの星川は、「農的生活」をベースにしながら、執筆で社会にメッセージを送る生き方を「半農半著」と呼んでいた。これら二著を読んだ著者は、内村と同じ三十三歳で「人生の旅路」に出る決心をするとともに、星川の「半農半著」にある「半著」を「半X」に入れ替えることを思いつき、「半農半X」というコンセプトにたどりつく。

「半農」とは、「小さな農」を営みながら、自分が食べる分だけの食を得て、「本当に必要なものだけを満たす小さな暮らし」を実現することである。この「小さな暮らし」とは、自らの「農」を通じて食糧を自給していくことである。他方、「半X」とは、この「小さな暮らし」を基盤にしながら、自らの「天与の才」(個性、長所、特技)により、「大好きなこと、やりたいこと、なすべきこと」に関わり、その中で社会的問題を解決することである。以上の両者を組み合わせた生き方が半農半Xである。

「半農」と「半X」は相互補完的である。「農」が「天職」＝「X」を深め、「X」が農を深める。農は生命をつなぐ営みであり、「センス・オブ・ワンダー」(世界の神秘さや不思議さに目を見張る感性)を育てる。この感性を持ちながら、人との関係性の中で創造的な活動を展開していくことで、半農半Xが実現される。その目指すところは、「天の意に沿う暮らし」と「天与の才を発揮し合う社会」、「大量生産・輸送・消費・廃棄に訣別する循環型社会」、「永続可能で、魅力あふれる多様な社会」を実現することにある。

現代の環境問題や人間性の喪失といった問題は、便利さや快適さ、効率性によって生み出されている。これに対して半農半Xは、本当にいらないものであれば生活の中からなくしていく「引き算の暮らし」と「足るを知る」を実践する。「ないもの」を探すのではなく「あるもの」を見つけていくことを重視し、助け合う、育み合うといった「シェア」を実践する。さらに自分たちのあとの世代に「生き方」という「贈り物」を遺す「与える文化」を作り上げる。そして、「七世代」先を考えてものごとを決めるアメリカ先住民イロコイ族の哲学から学び、次世代に命をつなぐことを考える実践も半農半Xから生まれる。

著者は半農半X実現のため、内村鑑三が講演を行った三十三歳で仕事を辞め、母親が死去した四十二歳までを、自らの人生の「締め切り」と考えて「X」を探し続けた。故郷の京都府綾部市で「天職」＝「X」を見つけ、著述活動や講演活動を行い、様々な人々と出会う中で、著者は、「X」が、人それぞれ多様な「使命」であり、「自分のうちにある」「大切な預かり物」であり、誰でも「天職」を持っている、と気がつくことになる。

二〇〇三年に本書の前身となる書が刊行されるとたちまち話題となり、その後、続編も刊行された。さらに続編は台湾でも翻訳され、中国やヨーロッパのメディアにも取りあげられ、過去二十年近くの間に、半農半Xは世界の言葉となりつつある。それはこのコンセプトが、世界中で同じ問題に向き合っている、多様な人々の思考や実践と結びつく国境を越える普遍性を持つからである。

著者の語りは、いかなるイデオロギーにも依拠せず、資本主義や政治を声高に批判することもない。これもまた、幅広い人々から支持を得られた要因であろう。ただし、著者は、権力者から「パンとサーカス」すなわち食料と見世物が与えられれば、人は何も考えなくなり、国が滅びる、と述べている。「大量生産・輸送・消費・廃棄に訣別する循環型社会」を目指し、「パンとサーカス」に背を向ける半農半Xは、これとは真逆の世界を目指すものだ、と述べている。半農半Xは、資本主義とそれを支える政治システムに対峙している。「攻撃しないで、ゆっくりたのしく社会変革する」（*）。これが半農半Xの極意である。

＊コトモファーム「あの人に聞いてみよう！」No.2　塩見直紀先生（半農半X提唱者）「農はセンス・オブ・ワンダーが取り戻せる」http://www.eto-na-en.com/archives/5109

（たなか・ひかる　明治大学法学部教員、社会思想史）

◆ちくま文庫（決定版、二〇一四）。初版は二〇〇三年、ソニーマガジンズ刊。

◇塩見直紀（一九六五年生まれ）　半農半X研究所代表。二〇〇〇年、「半農半X研究所」を設立。「半農半X」の実践は東アジアをはじめ世界でも注目され、海外講演も行う。若い世代の「X」応援のために、半農半Xデザインスクールなどにも取り組む。美術博士。

パウロ・フレイレ『新訳　被抑圧者の教育学』

自己を解放することで社会変革をめざす教育論

田中ひかる

本書の著者フレイレ（一九二一―一九九七）は、ブラジル出身の教育実践家・思想家である。農民たちの識字教育で成功を収めるが、一九六四年のクーデターで成立した軍事政権によって追放され、亡命時代に本書を発表する。したがって本書には、亡命前にブラジルの農村で実践した識字教育と、亡命中の経験が盛り込まれている。ただし、著者が述べているとおり、本書の内容は「試論」である。また、切り詰めた抽象的な言葉による記述が多いため、「教育」の具体的な「方法」が記述されていると期待して本書を開くと面食らうことになる。

しかもフレイレが念頭に置いている「教育」の対象は、彼が交流した農民や都市の労働者といった「被抑圧者」であり、公教育の外側にいて、労働に従事する人々である。彼らが自らを解放し、現実の変革に向かうように導くのが、フレイレの提唱している教育である。それは、知識を詰め込む「銀行型」ではなく、対話に基づく「問題解決型」でなければならない。そのような対話の過程で、社会で起きている抑圧、そしてさまざまな問題をトータルな視点から把握した上で、社会変革、さらには革命を目指すのである。マルクス、レーニン、毛沢東、チェ・ゲバラの著作が引用されているのは、それ故である。そのため、既存の社会システムの枠内で、「問題」の部分的な「解決」を目的とした教育の「方法」が提示されている、と期待すると、またしても面食らうことになる。

「銀行型」の教育は、知識を一方的に与え、受容させることに重きを置き、抑圧されている状況を維持するために行われている、として本書でフレイレは退けている。また「銀行型」の教育は、人々が知識を無批判に受容することで、現状を肯定し、自らの可能性や創造性を否定し、自己肯定感を喪失するという結果をもたらす。その上、自らの内面には、支配に対して従順な自己をつくり出すと同時に、抑圧者の意志を代弁するメンタリティが形成される。その結果、抑圧を作り出している「秩序」を揺るがす社会の動向に恐怖をおぼえ、被抑圧者が抑圧者に代わって、抑圧的な行為を実行することもある。

これに対して、「問題解決型」の教育は、対等な関係の中で対話を実践する。そこでは、まず社会の現状、および、社会で抑圧された自分たちが、現状を受け入れ、適応しているという事態を直視し、次いで現状の批判的分析へと移り、最終的には抑圧から自己が解放されることを目指していく。ただし、被抑圧者は、自分たちが抑圧されている、という現実を認めようとしない場合がある。これは、抑圧から「自由」になることへの「恐怖」が生まれるため、抑圧という現実を直視することから逃れるためである。

実際フレイレは、「現実」を知り、「批判的意識」を持つことが、「アナーキーで危険なこと」であり「無秩序」をもたらす、と主張する数多くの農民や労働者と出会っている。しかし、この「自由への恐怖」を克服し、対話を通じて、内面化された被抑圧者と抑圧者から自己を解放することが、社会変革へとつながっていくのだとフレイレは確信している。

五十年以上前に発表された本書であるが、読み進めていけば、現代の私たちも、ここで描かれる「被抑圧者」と似通っていることが分かってくる。子どもの頃から、抑圧された現実が「秩序」であるという考え方に飼い慣らされ、「不都合な現実」から目をそらし、抑圧を「運命」として受け入れ、あるいは適応し、その「解決」が「秩序」の破壊につながる、と恐怖し、さらに、問題を改善するような力が自分になく、その能力は支配者にのみ備わっている、と思っている人々は多い。

それにもかかわらず、現実に起きている問題について、一度でも対話を通じて議論をすれば、それこそがフレイレの言う「世界」への批判的介入になる、ということも、私たちは日々経験する。そういった経験に基づいて、世界の変革は可能だという認識を得ることができる、というのが、フレイレによって本書で展開されている主張である。抑圧され、その現状を受け入れて抵抗しない自分自身に向き合うために、本書はいまだに必読文献なのである。

（たなか・ひかる　明治大学法学部教員、社会思想史）

◆亜紀書房（三砂ちづる訳、二〇一一）。大幅増補の「50周年記念版」は二〇一八年刊。邦訳初版は一九七九年、亜紀書房刊（小沢有作ほか訳）。

◇パウロ・フレイレ（Paulo Freire　一九二一―一九九七）ブラジルの教育者、哲学者。二十世紀の教育思想や民主政治に大きな影響を与えた。他の著書に『希望の教育学』（里見実訳、太郎次郎社）など。

アナキズム文献センターへようこそ

古屋淳二

本書をお読みの方であれば、『アナキズムカレンダー』をご存知かもしれない。同カレンダーは二〇〇七年版を皮切りに二〇二一年版で十五冊を数える。これまで「大逆事件一〇〇年」「ギロチン社事件」「山鹿泰治」「スペイン革命八〇周年」「石川三四郎とルクリュ」「マフノ叛乱運動一〇〇年」「近藤憲二没後五〇年」「エマ・ゴールドマン1869-1940」「婦人戦線」（下記図版）といったテーマを特集している。このカレンダーのほか、季刊『アナキズム文献センター通信』の刊行や公式サイト・ツイッターでの情報発信、資料展示などの活動を行なっている。二〇一八年には大著『増補改訂版日本アナキズム運動人名事典』刊行にも協力、同書後記に「同センターが所蔵した多数の戦前の機関紙誌、さらには戦後の機関紙誌の充実した蔵書からも多くの示唆を得」たと記載していただいた。

設立の経緯から現在まで

アナキズム文献センターの設立は一九七〇年にまで遡る。センターを構想していた静岡の龍武一郎と東京の奥沢邦成、スイス・ローザンヌにあるCIRA（Centre International de Recherches sur l'Anarchisme＝国際アナキズム研究センター）を訪問してセンターの必要性を痛感した大阪の尾関弘らが活動を開始（当初の名称は「日本アナキズム研究センター」)、「反権力・反国家・絶対自由の思想と運動に関する過去および現在の文献、資料、運動紙誌を収集・整理し、その完全な保存を図るとともに、利用者に広く公開する」ことを目的に、翌七一年に静岡県富士宮市に書庫が建設された。

その後、活動の停滞と休眠状態を繰り返すものの、同敷地内でユースホステルを営みつつセンターを管理してきた龍の持続的営為に支えられてきた。九四年に活動を再開（第二次）、翌九五年には約十坪の独立した書庫が建設された。

その後の小休止を挟み、メンバーの高齢化という現実に対して、二〇〇五年に存続についての議論を開始、法人化などについて検討を重ねた結果、翌〇六年に運営委員会を主体とした任意団体「アナキズム文献センター」（CIRA-JAPANA）として再出発（第三次）。合わせて（前述の）通信（二〇二一年九月現在58号）とカレンダーを創刊。富士宮書庫では増えていく資料を新たに収蔵することが物理的に難しくなってきたことから、二〇一〇年には千葉県八街市に土地を確保して倉庫を建設、各地に分散して保管していた蔵書をまとめるとともに、新しい資料はすべて八街書庫に収蔵していけることとなった。また、二〇一二年には東京事務局（イレギュラー・リズム・アサイラム内）に新宿図書室をオープン。身近に資料に触れてもらおうと約一〇〇冊の単行本や機関紙誌を閲覧できるようにした。

他に類を見ない所蔵資料

データ上は一万五〇〇〇点ほどの資料を所蔵してはいるが、ビラやミニコミ類の多くが未入力のため、恥ずかしながら全体を未だ把握できていない。しかし、書籍であれば開架式の本棚に並べられているため利用に不便はなく、貴重な新聞やビラ類も十分に整理されているとは言い難いが、かなりファイリングされているので探し出すことは可能だ。これまでにも国内外からの多くのゲストを書庫に案内してきた。

所蔵資料のほとんどは、運営に関わった人たちから寄贈されたもので、大きなものとしては長谷川〔進〕文庫や山鹿〔泰治〕文庫、平井〔征夫〕文庫、神戸共同文庫、アナキストクラブ文庫、近藤〔憲二・真柄・千浪〕文庫などがある。こういった経緯から基礎文献に欠くこともあろうかと思われるが、全体的にはアナキズムをテーマに一箇所に収蔵されたものとしては類を見ない蔵書といえるだろう（前頁下段の写真はその一部）。二〇二二年、当センターから刊行を予定している『アナキズム運動史関連機関紙誌リスト』でその貴重な蔵書の一端をご紹介できることと思う。

将来に向けた構想と取り組み

少人数のグループが長期間にわたって、独立のアーカイブを維持することはそう簡単なことではない。「文献センターが龍さんのもと富士宮の地に設立されたことが、センター持続の最大の成功要因である。言葉を換えるなら、龍さんを核に人と人が結び付けられ続けたことが、結果としてセンターを存続させてきた」（奥沢邦成「文献センター自己紹介7」『文献センター通信』第8号）と奥沢が記したとおり、龍武一郎という個人の暮らしとセンターが一体化していたことの意味は想像以上に大きい（ただし、下の世代となる筆者から見れば、時に私財を投じて支え続けてきた奥沢さんと龍さんという両輪あってこそという思いはある）。ローザンヌCIRAが、マリー・クリスティーヌ・ミハイロフ、マリアンヌ・エンケル母娘の自宅（の一部）で運営されてきたことを思えば、公的機関にならない・頼らない「アナキズム」アーカイブの宿命なのかもしれない。

しかしながら、永続的な運営を考えるなら、個人に頼り続けることのリスクは計り知れない。文献センターが持つ特徴の一つは、乏しくも本や資料などの物的遺産を先の世代から受け継いでいること。これを放置したり、ましてや散逸させることはできない。そこで、かねてから議論してきた法人化の一つの答えとして、現在の任意団体とは別に一般社団法人「吉倉共同文庫」（奥沢が設立者）を設立、八街書庫の敷地内に五十坪の新たな書庫を建てた（つまり、資料の収集・整理・保存・公開の業務を担う別の図書館を作った）。今後、資料は同法人に寄託するという形での運営を試みていく。

昨今の〝アナキズムブーム〟を横目で見つつ、絶版古典の復刊やブックレットの刊行をはじめ、色々と企画を温めている。とはいうものの、ほとんどの業務を数人のメンバーが本業の合間にしているため、思うように進んでいないのが実状である。本稿を読んで、ご興味を持たれた方は、まずは公式サイトやツイッターを覗いてみてください。そして、ぜひご参加ください。

（こや・じゅんじ
アナキズム文献センター運営委員）

＊Ｗｅｂサイト：http://cira-japana.net
＊公式ツイッター：@cira_japana
＊問い合わせ：contact@cira-japana.net

終章　アナキズムの歴史と現在

「アナキスト」と「アナキズム」の成立

「アナーキー」「アナキスト」という語に与えられていた否定的な意味を、「支配のない状態」へと転換したのがプルードンであった（序章を参照）。彼から影響を受けたバクーニンは、一八六〇年代以降、「国家の破壊」や「下から上へ」「周辺から中心へ」といった、革命や革命を通じて実現される理想社会のイメージを描き、「アナキスト」と自称するようになった。[*1] ただし、「アナキスト」と多くの人々が名乗りはじめるのはバクーニンの死後であり、さらに、「アナキズム」という語が「国家なき社会」の実現を目指す思想という意味で用いられるようになるのは、一八八〇年代以降のことである。

暴力革命論とテロルの時代

当時アナキストの多くは、一八七一年のパリ・コミューンを理想化し、同様の革命がまもなく勃発する、と確信していた。それと同時に彼らは、フランス政府による容赦のない弾圧によってパリ・コ

＊1　戸田三三冬『平和学と歴史学――アナキズムの可能性』三元社、二〇二〇年、一二一―一三頁。

ミューンが敗北したことを教訓にして、武装した人々が担う暴力革命によってのみ国家に立ち向かい革命を成功させることができる、とも考えていた。[*2]

一八八六年五月、アメリカのシカゴでは、労働者の集会を中止させようとした警官隊に爆弾が投げ込まれるいわゆるヘイマーケット事件が起きる。証拠もないまま、事件の容疑者として逮捕されたアナキストのうち、五名が死刑判決を受け、一名は獄中で死亡し、四名が公開で絞首刑に処せられた。処刑されたアナキストたちの多くがドイツ系移民であったため、アメリカではその後、アナキストと移民・外国人、そして爆弾や暴力が結びつけられることになる。

また、当時から暴力革命を支持していた人々のあいだでは、さまざまな「行動」を通じてプロパガンダを展開することによって、「革命の精神」を民衆のあいだに喚起できると信じられていた。彼らは、ロシアの皇帝アレクサンドル二世暗殺などさまざまな政治運動によって実行された暗殺やテロルから影響を受ける。その後、二十世紀初頭までには、アナキスト、あるいはアナキストから影響を受けた人々によって、首相、大統領、国王などの殺害が相次いだ。これら一連の事件も、「アナキスト」と「テロリスト」が同一であるというイメージを強化した。[*3]

国家社会主義者とアナキスト

「支配のない状態」という理想を正面から攻撃してアナキストと対立したのは、社会民主主義者たちである。彼らは、議会で多数派を握ることを通じて労働者が主体となる国家の実現を目指し、「支配」なくしては社会が混乱するため国家は必要である、と主張した。彼らの中には、国家が「死滅」したのちに国家なき社会が生まれる、というマルクスやエンゲルスの見解を信じていた人々もいたが、彼らにとっても、アナキストたちの主張を理解することはできなかった。

だが、アナキストたちから見れば、「国家なき社会」という目標を達成するために、国家という「支配」を「手段」として利用する、という社会民主主義者（アナキストは彼らを「国家社会主義者」と呼んだ）の主張は破綻していた。そしてアナキストたちは、社会民主主義者たちが権力を握った暁には、彼らが「赤い官僚」となって、労働者や農民を抑圧する新たな「支配」を生み出すに違いない、というバクーニンの予言と同じ結論に達していた。ロシア革命以降には、これと同じ批判を、アナキストたちは、ソ連や各国の共産党に対して行うことになる。

理想社会と社会変革の手段をめぐる対立

ただし、アナキストたちのあいだにも、「目標」と「手段」をめぐる対立があった。たとえば個人主義的アナキストは、個人が私有財産を持つことができる社会を理想としていたため、暴力革命を通じて個人から土地などの私有財産が没収されてしまう、という理由から、社会主義的なアナキストたちを非難した。これに対して社会主義的なアナキストたちは、個人主義者を、資本主義に依存する「ブルジョワ」と非難した。

ところが彼ら社会主義的アナキストたちのあいだにも対立があり、個人が働いただけの成果はその個人が得ることができるようにすべきである、と主張する「集産主義的アナキスト」と、すべての富を社会の成員全員で共有すべきだ、という「共産主義的アナキスト」が激しい論争を続けた。しかも、クロポトキンが主張した共産主義的アナキズムが、唯一正しい「教義」であるかのように信じられ、自由な

＊2　田中ひかる『ドイツ・アナーキズムの成立――『フライハイト』派とその思想』御茶の水書房、二〇〇二年を参照。
＊3　田中ひかる「描かれたアナーキスト――一九世紀末のアナーキスト像に見られる近代市民層の時代認識に関する考察――」『歴史研究』三九、二〇〇二年、一一五―一六二頁。

議論が阻まれていると批判された時期もあった。他方、理想社会という「仮説」をめぐる論争を棚上げにして、アナキスト全体の協力を模索するための「形容詞のないアナキズム」が提唱された。

以上のような論争以外に、暴力革命もしくは暴力の行使をめぐる論争や対立もあった。個人主義者は、暴力革命自体が個人の権利を抑圧するという理由で反対した。また、ヨーロッパやアメリカでテロルが続くと、アナキストに対する国家の弾圧が強まり、しかも、テロルが労働者からの支持を得られないことで、いたずらに暴力を強調する主張が次第に後景に退き、共同体を設立することで理想社会のモデルを「今・ここで」実現し、資本主義を掘り崩していくという構想を示すグスタフ・ランダウアー（一八七〇―一九一九）のようなアナキストも現れる（本書所収『自治・共同社会宣言』のガイドを参照）。

十九世紀末からは、労働組合によるゼネストを通じて「支配なき社会」の建設をはじめる、という構想を示すサンディカリズム、あるいは、アナルコ・サンディカリズムを主張する人々が現れる。だが、サンディカリズムが、工業に従事する労働者による労働組合を主体としていたため、農民を含めた多様な労働者が視野に入っていない、さらに、ゼネストで革命が達成できるという見通しが楽観的すぎる、といった批判の声があり、旧来のアナキストとの対立が生まれた。

その後、アナキストは、一九一七年以降のロシア革命、一九三六年に始まるスペイン革命に参加し、工場の自主管理や農地の集団化といった運動に関わった。しかし、ロシアでは、ボリシェヴィキによる弾圧により、スペインではファシストに敗北したことにより、彼らの思想と実践は「失敗」と見なされ、しかも、スペインでの敗北により、アナキズム運動は終焉した、と言われるまでになってしまう。

ところが、二十世紀の後半から今日までのあいだに、アナキズムは数度の「復活」を経験し、今日では、全世界でアナキストによる運動が見られるようになった。その結果、過去の「失敗」と見なされたアナキストたちの思考や実践が再評価されるようになり、現在のアナキズムにつながるさまざまな要素が、歴史上のアナキズムに見出されるようになった。

以下では、そのようなさまざまな要素の中でも、「今・ここで」のアナキズム、地理的広がりとグローバルな視点、アート、フェミニズム、エコロジーとの結びつきという点に絞って見ていきたい。

「今・ここで」のアナキズム

革命がまもなく起きると考えていたアナキストたちのあいだでは、国家と資本主義がある状況での「改良」は無駄であり、暴力革命を成功させた後、はじめてアナーキーが実現される、という主張が主流だった。だが、理想を実現する自分たち自身が、「今・ここで」理想を体現する状況を作り出さねばならない、と主張する者も、アナキズムの歴史の中では少なからず見られた。たとえば、一八七〇年代には、第一インターナショナルでバクーニンを支持していたスイスのジュラ地方で活動する時計工たちが、以下のように主張していた。

「未来社会とは、インターナショナルが体現する組織の普遍化されたもの以外であってはならない。したがってわれわれは、インターナショナルというこの組織をできる限りわれわれの理想に近づけなければならない。平等で自由な社会が、権威主義的な組織から生み出されることなどどうして望みえようか。それは不可能である。人類の未来社会の萌芽［embryon］であるインターナショナルは、いまここで、自由と連合というわれわれの原理の忠実な反映であるべきであり、権威や独裁に向かういかなる原理をも内部から排除すべきである」[*4]。

同様の発想は、その後もエマ・ゴールドマン（一八六九―一九四〇）やランダウアーらによって示される

＊4　渡辺孝次『時計職人とマルクス――第一インターナショナルにおける連合主義と集権主義』同文館、一九九四年、二四〇頁より。一部改変。James Guillaume, *L'Internationale: Documents et souvenir (1864-1878)*, tome II, Paris: Société nouvelle de librairie et edition, 1907, p.240.

が、多くのアナキストのあいだで共有されるようになったのは、おそらく、二十世紀末から現在までのあいだであろう。この「今・ここで」に焦点を当てたアナキズムでは、革命後に実現される理想社会ではなく、自分を取り巻く現実の中にアナーキーを作り出すことが問題となる。その点で多くの人々に影響を与えたのが、ハキム・ベイ（ピーター・ランボーン・ウィルソン、一九四五―）による『T．A．Z．一時的自律ゾーン（Temporary Autonomous Zone）』であった（本書所収『T．A．Z．』のガイドを参照）。

アナキズムの地理的な広がり

今日、地球上の至る所にアナキストを名乗る人々が活動しているため、その状況を「グローバル・アナキズム」と表現する場合もある。たとえば、かつてアナキズムなど存在しなかったようなフィリピンやインドネシアなどでアナキストたちの運動が見られるようになった。それらの地域でのアナキズムは、パンク・ミュージックや木版画などのアートによって表現され、コミュニティの日常生活に根ざした相互扶助が活動の中心にあり、パンデミックの中でも変わることなく続けられている。

このような現状を念頭に置いて過去のアナキズムを見ると、アナキズムがグローバルに拡散するという現象は、すでに十九世紀末から起きていたことに気がつく。当時、ヒト・モノ・情報が国境を含むさまざまな境界線を越えて移動し、アナキストたちの多くも、国境を越えて移動した移民や亡命者たちの一部であった。また、アナキストたちが印刷・発行した新聞や書籍、あるいは手紙などによっても、アナキズムは世界に拡散した。今日ではインターネットを通じたさまざまな交流が可能であるが、情報の拡散という点では全く同じである。

こういった情報の拡散を通じて、アナキストたちは、一度も出会ったことがない遠い場所に住む、言語も習慣も全く異なる人々と「友人」「同志」と呼び合うようになり、また、「同志」に対する国家の弾圧があれば、世界のアナキストたちは、すぐさま抗議行動に立ち上がるようになった。

国境を越えた交流と、さまざまな知識の拡大を通じて、アナキストたちは、かなり早い段階から、アナキズムの「起源」が、世界中のありとあらゆる人々のあいだにある、と考えるようになった。同時代に普及していた西洋中心主義のような価値観、人種やジェンダーに関する偏見がすぐに克服されたわけではないが、アナキストたちがそういった価値観や偏見から徐々に離脱していったのはたしかである。

さらに、アナキスト以外のさまざまな人々と協力することで「支配なき状態」を実現するという広い視野も生まれ、革命や未来社会のあり方だけでなく、「今・ここで」の多様な領域も、アナキズムの視点から論じられるようになった。

アナキストとアーティスト

アートはアーティストの自由な発想に依拠する活動であり、アナキストの理想と最も近い領域の一つである。だがアートの表現に対してはさまざまな規制や介入があり、また、アーティストたちは、生活のために注文に応じた表現をすることも多く、資本主義に従属するという経験も共有していた。彼らが「支配のない状態」を理想とするアナキストを支持した理由がそこにあった。

たとえば十九世紀末のパリでは、新印象主義派の画家たちが、アナキストたちの新聞などに挿絵を提供し、アナキストたちと交流した。挿絵の中で画家たちは、社会の不公正を描き出し、国家や資本による「支配」を非難し、あるいは、格差社会の中で貧しくとも力強く生きる民衆、さらに「アナーキー」が実現された理想のイメージを描いた。

二十世紀初頭のアメリカでも、ゴールドマンと親しくなった画家ロバート・ヘンライ（一八六五―一九二九）による大人向けの絵画教室を受講した若いアーティストたちのあいだで、アナキズムに共感し、アナキストと交流する人々が現れる。[*5] 日本では、望月桂や大杉栄らが結成した黒耀会による芸術活動があった（本書所収『大正自由人物語』のガイドを参照）。

アナキズムとフェミニズムとのつながり

十九世紀末以降、女性のアナキストたちが登場する。中でも優れた演説家であったゴールドマンは、セックスワーカーたちの苦境を知ったことにより、看護師と助産師の資格を取得し、避妊法を広める活動を展開した。またゴールドマンは、政治や経済による「外的圧政」からよりも、女性自身が内面化してしまっている、現在の家父長主義的な慣習という「内的圧政」から解放されることで「愛し愛される関係」を実現しなければ、女性は真の意味で解放されない、と主張した。さらに、当時の男性のアナキストたちが、女性の解放は革命後に実現される、と主張していたのに対してゴールドマンは、革命後の社会の担い手となる自由な女性を、革命前の現在、育成する必要があると主張し、二十一世紀の現在主流になった「今・ここで」のアナキズムを展開した。その影響を受けたのが、スペインで一九三〇年代に結成される女性のアナルコ・サンディカリストの組織「自由な女性」のメンバーであった（コラム「アナキズムと女性解放」を参照）。ヴァイマル時代のドイツにも、サンディカリスト女性同盟という女性組織があり、女性たちには避妊法を伝え、「妊娠ストライキ」を主張した。さらに同時期の日本でも、高群逸枝らによる『婦人戦線』で女性たちがアナキズムを基礎として女性の解放を模索する論陣を張っていた（本書所収『アナキズム女性解放論集』のガイドを参照）。

こういった女性によるアナキズムは、同時代の男性のアナキストたちからは評価されず、一九七〇年代以降、「個人的なことは政治的なこと」というスローガンを掲げ、私的領域における女性への抑圧を問題化した第二波フェミニズムが隆盛するなかで高く評価されることになる。それだけでなく、現代のアナキズム運動においてフェミニストたちは、男性中心のアナキズムを徹底的に批判し、問題点を指摘し続けることで、支配・権力、そしてアナーキーの概念を大きく変えてきたのである。

エコロジーとアナキズム

クロポトキンの『相互扶助論』は、動物と人間を、同じ自然の中に生きる生物であり対等な存在として捉え、今日のエコロジーにつながる視点を示した著作である（本書所収『相互扶助論』のガイドを参照）。その後、二十世紀後半になってから、アメリカのアナキストであるマレー・ブクチン（一九二一―二〇〇六）が、自然環境の破壊の原因を、人間社会における支配とヒエラルキーに見出すことで、初めてアナキズムに基づくエコロジーが主張された、と思われてきた。

ところが、一九二〇年代のドイツにおけるアナキズム運動の中で、アナキストのパウル・ロビーン（一八八二―一九四五）は、工業文明による地球の破滅を予言し、反文明を唱え、国家によらない自然保護運動の推進を訴えていた。その点で彼は、現代のエコロジーを先取りしていた。工業による「進歩」を支持するアナキストたちから相手にされなかったロビーンの思想の意義は、一九七〇年代以降、ロビーンと同様にラディカルなエコロジーを唱える人々が現れてから、ようやく理解されることになった。[*6]

今日、アナキズムの中で同様の反文明論を唱えているのは、二万年前の原始時代にこそアナキズムの理想があるとする「プリミティヴィズム（primitivism）」（原始時代回帰主義）を提唱し、ラディカルな

＊5　田中ひかる「芸術家とアナーキズムとの関係についての一考察―一九世紀末から第一次世界大戦前まで―」『大阪教育大学紀要』第Ⅰ部門第五二巻第一号、二〇〇三年九月、二〇―二八頁。

＊6　ウルリヒ・リンゼ『生態平和とアナーキー――ドイツにおけるエコロジー運動の歴史』内田俊一・杉村涼子訳、法政大学出版局、一九九〇年。

反文明論を説くジョン・ザーザン（一九四三―）である。彼から影響を受けた人々の中から、反グローバリゼーション運動においてグローバル企業の店舗を破壊した、最もラディカルな行動が生まれている。

世界に息づく現代のアナキズム

ロシア革命以降、マルクス主義と共産党が各国で影響力を持つようになり、アナキズムは劣勢に立たされ、また、独裁国家やソ連・東欧社会主義圏ではアナキズムが消滅した。しかし、第二次世界大戦後、反核平和運動、学生運動などで、アナキズムの影響が見られるようになる。一九七〇年代以降はフェミニズムの影響が強まり、男性中心だったアナキズム運動が、女性の参加によって変容し始め、また、同時期にはエコロジーとアナキズムが結びつきを強め、ラディカルな環境運動が生まれる。

そして、一九九〇年代の「反グローバリゼーション運動」（あるいは、オルター・グローバリゼーション運動、グローバル・ジャスティス運動）の中で再びアナキストが現れる。彼らは「今・ここで」自分たちの理想を実現することを目指し、その実践がアナキズムを体現することを意識していた。人類学者でアナキストのデヴィッド・グレーバー（一九六一―二〇二〇）は、その担い手を「新しいアナキスト」と呼んだ（グレーバーに関しては本書所収『アナーキスト人類学のための断章』のガイド参照）。

かつてアナキズムは、社会民主主義やソ連を支持する人々と対立する中で、自らが理想とする「国家なき社会」の正当性を説明することが常に迫られた。しかし、ソ連と東欧の社会主義諸国が消滅し、社会民主主義政党は新自由主義政策を推進するようになった。そして、経済のグローバル化で、地球上のあらゆる個人の「生」が、グローバルな資本主義システムによって「支配」されることになった。現代の「新しいアナキスト」たちは、この「支配」以外の選択肢が「今・ここで」実現可能であることを、自分たちの日常的で小規模な実践を通じて示すことを重視するようになっている。

しかしアナキストが革命を捨て去ったのかと言えば、おそらくそうではない。アナキストが過去二十年以上にわたり、最も影響を受けた運動の一つが、メキシコのチアパス州で蜂起したサパティスタ民族解放軍によるものである。三十年近くものあいだ、メキシコの密林の中で自治を行い、資本主義と異なる社会を維持しているサパティスタは、依然として現代のアナキストにとって一つのモデルである。

さらに、二〇一四年にシリア北部「ロジャヴァ」でクルド人が中心となった革命が実現され、国家という形態をとらず、ボトムアップ型の民主的自治を実現しようとしている。この自治の理念は、ブクチンのアナキズム的自治体主義に基礎を置き、中東という家父長主義が強い地域で女性の解放が追求され、多様な民族と宗教の共存も実現されている。これに賛同する世界中の人々がロジャヴァを支援し、多くの人々が国境を越えてロジャヴァに向かい、義勇兵として戦闘に加わった（本書所収『女たちの中東ロジャヴァの革命』『コバニ・コーリング』のガイドを参照）。この革命を準備したのは、コミュニティでの長年にわたる地道な実践だった。したがって、現代のアナキストたちによる日常の小さな相互扶助活動は、広大な領域で実現される革命とつながる可能性を持っているのである。

田中ひかる

アナキズムの言葉

鶴見俊輔

われわれは、現代の社会のまっただなかに、ひとりひとりが、自分ひとりで、あるいは協力して、単純な生活の実験をもつべきだ。そこがそのままユートピアになるというのではなく、現代の権力的支配にゆずらない生活の根拠地として、思想の準拠わくとして必要なのだ。

鶴見俊輔「方法としてのアナキズム」(『展望』一九七〇年十一月号)
出典:『身ぶりとしての抵抗』(黒川創編、河出文庫)

執筆者紹介

（編者以下、氏名の五十音順。二〇二一年九月現在）

田中ひかる（たなか・ひかる）編者

一九六五年生まれ。明治大学法学部教員、社会思想史。著書に『ドイツ・アナーキズムの成立――『フライハイト』派とその思想』（御茶の水書房、二〇〇三年）、『社会運動のグローバル・ヒストリー――共鳴する人と思想』（編著、ミネルヴァ書房、二〇一八年）、『近代ヨーロッパと人の移動――植民地・労働・家族・強制』（共編著、山川出版社、二〇二〇年）など。

足立元（あだち・げん）

一九七七年生まれ。二松学舎大学文学部准教授。専門は日本近現代美術史、視覚社会史。主な著書に『アナキズム美術史　日本の前衛芸術と社会思想』（平凡社、二〇二三年）。編著に『新しい女は瞬間である　尾竹紅吉／富本一枝著作集』（皓星社、二〇二三年）。

飯島みどり（いいじま・みどり）

一九六〇年生まれ。立教大学教員、ラテンアメリカ近現代史。訳書にエドゥアルド・ガレアーノ『火の記憶』全三巻（みすず書房、二〇〇〇―二〇一一年）、歴史的記憶の回復プロジェクト編『グアテマラ　虐殺の記憶――真実と和解を求めて』（共訳、二〇〇〇年）、アリエル・ドルフマン『南に向かい、北を求めて――チリ・クーデタを死にそこなった作家の物語』（二〇一六年、ともに岩波書店）など。

卯城竜太（うしろ・りゅうた）

一九七七年生まれ。アーティストコレクティブChim↑Pomのメンバー。東京をベースに国内外で多様なプロジェクトを展開、世界各地の展覧会に参加する。美術誌の監修や展覧会のキュレーションなども行う。松田修との共著『公の時代』（朝日出版社、二〇一九年）のほか、一四年に及ぶChim↑Pomの活動を網羅した作品集『We Don't Know God：Chim↑Pom 2005-2019』（ユナイテッドヴァガボンズ、二〇一九年）などがある。

海老原弘子（えびはら・ひろこ）

一九七一年生まれ。アナキズム愛好家、イベリア書店事務員。訳書にラモン・チャオ『チェのさすらい』（トランジスター・プレス、二〇一一年）、ナバロ／トーレス／ガルソン『もうひとつの道はある――スペインで雇用と社会福祉を創出するための提案』（共訳、柘植書房新社、二〇一三年）。

大窪一志（おおくぼ・かずし）

一九四六年生まれ。隠棲した著述業者。著書に『相互扶助の精神と実践――クロポトキン『相互扶助論』から学ぶ』（同時代社、二〇二一年）、『アナキズムの再生』（にんげん出版、二〇一〇年）、『自治社会の原像』（花伝社、二〇一四年）など。訳書にランダウアー『懐疑と神秘思想――再生の世界認識』（二〇二〇年）、クロポトキン『相互扶助再論――支え合う生命・助け合う社会』（二〇一二年、いずれも同時代社）など。

大和田茂（おおわだ・しげる）

一九五〇年生まれ。日本近代文学研究者。著書に『社会運動と文芸雑誌――「種蒔く人」時代のメディア戦略』（菁柿堂、二〇一二年）、『社会文学・一九二〇年前後――平林初之輔と同時代文学』（不二出版、一九九二年）、編著書『一人と千三百人／二人の中尉――平沢計七先駆作品集』（講談社文芸文庫、二〇二〇年）など。

岡野幸江（おかの・ゆきえ）
日本近代文学研究者。現在、法政大学ほか講師。著書に『平林たい子――交錯する性《ジェンダー》・階級《クラス》・民族《レイス》』（青柿堂、二〇一六年）、『女たちの記憶――近代の解体と女性文学』（双文社出版、二〇〇八年）、共編『木下尚江全集』（教文館、一九九〇―二〇一〇年）など。

荻原魚雷（おぎはら・ぎょらい）
一九六九年生まれ。文筆家。著書に『中年の本棚』（紀伊國屋書店、二〇二〇年）、『古書古書話』（二〇一九年）、『日常学事始』（二〇一七年、ともに本の雑誌社）、『閑な読書人』（晶文社、二〇一五年）、『本と怠け者』（ちくま文庫、二〇一一年）など。編者をつとめた本に梅崎春生『怠惰の美徳』（中公文庫、二〇一八年）などがある。

蔭木達也（かげき・たつや）
慶應義塾大学経済学部助教、社会思想史。主な論文に「「神」と対峙する「天皇」のイロニー――十五年戦争下の高群逸枝『母系制の研究』を軸に」（『思想』一一五八号、二〇二〇年一〇月）、「「農民自治」思想の構想と展開――昭和初期の雑誌『農民自治』『農民』を中心に」（『村落社会研究ジャーナル』52号、二〇二〇年四月）、「「分裂せざる」二者から始まるアナーキズム――高群逸枝「家庭否定論」再考」（『社会文学』51号、二〇二〇年三月）など。

金子遊（かねこ・ゆう）
一九七四年生まれ。批評家、映像作家。多摩美術大学准教授。著書に『光学のエスノグラフィ――フィールドワーク／映画批評』（森話社、二〇二一年）、『映像の境域――アートフィルム／ワールドシネマ』（同、二〇一七年）、『混血列島論――ポスト民俗学の試み』（フィルムアート社、二〇一八年）、『辺境のフォークロア――ポスト・コロニアル時代の自然の思考』（河出書房新社、二〇一五年）など。共訳書にアルフォンソ・リンギス『暴力と輝き』（水声社、二〇一九年）など。

亀田博（かめだ・ひろし）
一九五三年生まれ。歴史研究者。金子文子研究、大逆罪研究、アナキスト詩人研究。著書に編著『中濱鐵　隠された大逆罪――ギロチン社事件未公開公判陳述・獄中詩篇』（「トスキナア」別冊、トスキナアの会、二〇〇七）、近刊『金子文子・朴烈の生き方』（論創社）など。月刊『救援』で「大逆事件の救援史」、季刊『山の本』で随筆「読書三到」を連載中。

北川眞也（きたがわ・しんや）
一九七九年生まれ。三重大学人文学部准教授、地理学。主な論文に「地図学的理性を超える地球の潜勢力――地政学を根源的に問題化するために」（『現代思想』45巻18号、二〇一七年）、「惑星都市化、インフラストラクチャー、ロジスティクスをめぐる11の地理的断章――逸脱と抗争に横切られる「まだら状」の大地」（平田周＋仙波希望編『惑星都市理論』以文社、二〇二一年）。主な訳書に、サンドロ・メッザードラ『逃走の権利――移民、シティズンシップ、グローバル化』（人文書院、二〇一五年）。

木下ちがや（きのした・ちがや）
一九七一年生まれ。政治社会学者、社会運動家。著書に『「社会を変えよう」といわれたら』（二〇一九年）、『ポピュリズムと「民意」の政治学――3・11以後の民主主義』（二〇一七年、ともに大月書店）、『国家と治安――アメリカ治安法制と自由の歴史』（青土社、二〇一五年）、訳書にデヴィッド・グレーバー『デモクラシー・プロジェクト――オキュパイ運動・直接民主主義・集合的想像力』（共訳、航思社、二〇一五年）など。

姜信子（きょう・のぶこ）
一九六一年生まれ。作家。著書に『はじまれ、ふたたび――いのちの歌をめぐる旅』（新泉社、二〇二一年）、『路傍の反骨、歌の始まり』（中川五郎との共著、二〇二一年）、『生きとし生ける空白の物語』（港の人、二〇一五年）、『声　千年先に届くほどに』（ぷねうま舎、二〇一五年、ともに）ほか多数。訳書に『詩人キム・ソヨン　一文字の辞典』（監訳、クオン、二〇二一年）、ホ・ヨンソン『海女たち』（趙倫子と共訳、新泉社、二〇二〇年）など。

後藤あゆみ（ごとう・あゆみ）
一九八三年生まれ。歴史研究。論考に「アナキズムとフェミニズムについての覚え書」（『福音と世界』二〇一八年一〇月号）、訳書にシルヴィア・フェデリーチ『キャリバンと魔女』（共訳、以文社、二〇一七年）、マイク・ディヴィス「革命はこれからだ」「ゾンビ」（『現代思想』二〇一七年一月号）など。

古屋淳二（こや・じゅんじ）
一九七二年生まれ。アナキズム文献センター運営委員。『杉並区長日記――地方自治の先駆者・新居格』『石川三四郎　魂の導師』等の版元・虹霓《こうげい》社主宰。大正アナキストを描いた映画『シュトルム・ウント・ドランクッ』プロデューサー。富士山麓在住。

斎藤真理子（さいとう・まりこ）
一九六〇年生まれ。翻訳者。訳書にチョ・セヒ『こびとが打ち上げた小さなボール』（河出書房新社、二〇一六年）、ファン・ジョンウン『ディディの傘』（亜紀書房、二〇二〇年）、パク・ソルメ『もう死んでいる十二人の女たちと』（白水社、二〇二一年）など。

斉藤悦則（さいとう・よしのり）
一九四七年生まれ。社会学者、翻訳家。共編著に『ブルデュー社会学への挑戦』（恒星社厚生閣、二〇〇五年）。訳書にヴォルテール『哲学書簡』（二〇一七年）、同『寛容論』（二〇一六年）、J・S・ミル『自由論』（二〇一二年、いずれも光文社古典新訳文庫）、プルードン『貧困の哲学（上下）』（平凡社ライブラリー、二〇一四年）、アンサール『プルードンの社会学』（法政大学出版局、一九八一年）など。

関口寛（せきぐち・ひろし）
一九七二年生まれ。四国大学経営情報学部准教授、歴史社会学。論文に「アメリカに渡った被差別部落民――太平洋を巡る「人種化」と「つながり」の歴史経験」田辺明生、竹沢泰子、成田龍一編『環太平洋地域の移動と人種』（京都大学学術出版会、二〇二〇年）、「統治テクノロジーのグローバルな展開と「人種化」の連鎖　日本近代の部落問題の成立をめぐって」『人文学報』第一一四号、二〇一九年一二月）など。

高井ホアン（たかい・ほあん）
一九九四年生まれ。作家・ライター。パラグアイ人とのハーフ。高校時代から反権力・反表現規制活動を行い、二〇一三年からTwitter上で調査と紹介を続ける。雑誌『情況』『現代ビジネス』等で連載。著書に『戦前不敬発言大全――落書き・ビラ・投書・怪文書で見る反天皇制・反皇室・反ヒロヒト的言説』『戦前反戦発言大全――落書き・ビラ・投書・怪文書で見る反軍・反帝・反資本主義的言説』（ともにパブリブ、二〇一九年）など。

高橋 巖（たかはし・いわお）
一九六一年生まれ。日本大学生物資源科学部教授、農業経済学・協同組合論。著書に『高齢者と地域農業』（家の光協会、二〇〇二年）、『地域を支える農協――協同のセーフティネットを創る』（編著、コモンズ、二〇一七年）、論文に「社会連帯と協同組合――社会的連帯経済と日本の協同組合の将来」（『協同組合研究』39巻2号、二〇一九年）など。

竹内栄美子（たけうち・えみこ）
一九六〇年生まれ。明治大学文学部教授、日本近代文学。著書に『中野重治と戦後文化運動――デモクラシーのために』（論創社、二〇一五年）、『戦後日本、中野重治という良心』（平凡社新書、二〇〇九年）などのほか、『新編 日本女性文学全集』第九巻（編著、六花出版、二〇一九年）、『中野重治・堀田善衛往復書簡１９５３―１９７９』（共編著、影書房、二〇一八年）など。

鶴見 済（つるみ・わたる）
一九六四年生まれ。フリーライター。著書に『0円で生きる――小さくても豊かな経済の作り方』（二〇一七年）、『脱資本主義宣言――グローバル経済が蝕む暮らし』（二〇一二年、ともに新潮社）、『人格改造マニュアル』（一九九六年）、『無気力製造工場』（一九九四年）、『完全自殺マニュアル』（一九九三年、いずれも太田出版）など。

寺尾紗穂（てらお・さほ）
一九八一年生まれ。音楽家、文筆家。著書に『彗星の孤独』（スタンド・ブックス、二〇一八年）、『あのころのパラオをさがして――日本統治下の南洋を生きた人々』（集英社、二〇一七年）、『原発労働者』（講談社現代新書、二〇一五年）、『南洋と私』（中公文庫、二〇一九年）、『評伝 川島芳子――男装のエトランゼ』（文春新書、二〇〇八年）など。ソロアルバムに『愛し、日々』『御身』『楕円の夢』『たよりないもののために』『北へ向かう』など。

友常 勉（ともつね・つとむ）
一九六四年生まれ。東京外国語大学大学院国際日本学研究院教授、日本思想史。著書に『夢と爆弾――サバルタンの表現と闘争』（航思社、二〇一九年）、『戦後部落解放運動史――永続革命の行方』（河出書房新社、二〇一二年）、『脱構成的叛乱――吉本隆明、中上健次、ジャ・ジャンクー』（以文社、二〇一〇年）、『始原と反復――本居宣長における言葉という問題』（三元社、二〇〇七年）など。

冨板 敦（とみいた・あつし）
一九六二年生まれ。編集者、大東文化大学法学部法律学科非常勤講師、調理師。著書『出版社内定獲得！』『テレビ局内定獲得！』（ともにＴＡＣ出版、二〇二三年）のほか、『鶴見俊輔語録①②』（皓星社、二〇一一年）の編者をつとめる。月刊『浄土宗新聞』、季刊『かるな』（ともに浄土宗出版）編集委員。

内藤千珠子（ないとう・ちずこ）
一九七三年生まれ。大妻女子大学文学部教授、日本語文学。著書に『「アイドルの国」の性暴力』（新曜社、二〇二一年）、『愛国的無関心――「見えない他者」と物語の暴力』（同、二〇一五年）、『小説の恋愛感触』（みすず書房、二〇一〇年）、『帝国と暗殺――ジェンダーからみる近代日本のメディア編成』（新曜社、二〇〇五年）、など。

永野三智（ながの・みち）
一九八三年生まれ。一般財団法人水俣病センター相思社常務理事。水俣病患者連合事務局長を兼任。著書に『みな、やっとの思いで坂をのぼる――水俣病患者相談のいま』（ころから、二〇一八年）。同法人の機関紙『ごんずい』に「患者相談雑感」を連載。

中谷いずみ（なかや・いずみ）
一九七二年生まれ。二松学舎大学文学部准教授。専門は日本近現代文学・文化。著書に『その「民衆」とは誰なのか――ジェンダー・階級・アイデンティティ』（二〇一三年）、『女性と闘争――雑誌「女人芸術」と一九三〇年前後の文化生産』（共編著、二〇一九年、ともに青弓社）、論文に「フェミニズムとアナキズムの出会い――伊藤野枝とエマ・ゴールドマン」（『有島武郎研究』23号、二〇二〇年）など。

那須耕介（なす・こうすけ）
一九六七年生まれ。京都大学大学院人間・環境学研究科教授、法哲学。著書に『ある女性の生き方　茅辺かのうをめぐって』（編集グループ〈ＳＵＲＥ〉、二〇〇六年）、『ナッジ!?――自由でおせっかいなリバタリアン・パターナリズム』（橋本努との共編著、勁草書房、二〇二〇年）、訳書にルイ・メナンド『メタフィジカル・クラブ――米国１００年の精神史』（野口良平、石井素子との共訳、みすず書房、二〇一一年）など。二〇二一年九月逝去。

林　彰（はやし・あきら）
一九五二年生まれ。駒澤大学・東京国際大学兼任講師。日本近代思想史。著書に『日本医科大学の歴史』（校史編纂委員会、二〇〇一年）、共著『大杉栄と仲間たち――『近代思想』創刊１００年』（ぱる出版、二〇一三年）、『自由民権の再発見』（日本経済評論社、二〇〇六年）、論文「民権から初期社会主義へ――マイノリティとしての一農民の軌跡」（『駒沢史学』九四号、二〇二〇年）など。

東琢磨（ひがし・たくま）
一九六四年生まれ。批評家。著書に『ヒロシマ・ノワール』（インパクト出版会、二〇一四年）、『ヒロシマ独立論』（青土社、二〇〇七年）、『全－世界音楽論』（青土社、二〇〇三年）、共編『忘却の記憶広島』（月曜社、二〇一八年）など。

藤原辰史（ふじはら・たつし）
一九七六年生まれ。京都大学人文科学研究所准教授。専門は農業史。著書に『縁食論――孤食と共食のあいだ』（ミシマ社、二〇二〇年）、『分解の哲学――腐敗と発酵をめぐる思考』（青土社、二〇一九年）、『食べるとはどういうことか――世界の見方が変わる三つの質問』（農山漁村文化協会、二〇一九年）、『給食の歴史』（岩波新書、二〇一八年）、『決定版 ナチスのキッチン――「食べること」の環境史』（共和国、二〇一六年）など。

真島一郎（まじま・いちろう）
東京外国語大学大学院総合国際学研究院教授、社会人類学。初期社会主義研究会会員。最近の訳書にジャック・ドンズロ『社会的なものの発明――政治的熱情の凋落をめぐる試論』（インスクリプト、二〇二〇年）など。

松尾隆佑（まつお・りゅうすけ）
一九八三年生まれ。宮崎大学講師。専門は政治学・政治理論。主な論考「辟易するエゴイスト――政治理論における利己主義の射程」（『政治をめぐって』34号、二〇一五年）、「エゴイズムの思想的定位――シュティルナー像の再検討」（『情況』第三期11巻2号、二〇一〇年）などのほか、野口雅弘ほか編『よくわかる政治思想』（ミネルヴァ書房、二〇二一年）でキーワード「アナーキズム」を執筆。

松原秀晃（まつばら・ひであき）
一九六六年生まれ。自由労働者連合議長。財団法人吉倉共同文庫評議員。主な論考等に「自由労働者連合より報告3点」（『アナキズム』創刊号、二〇二〇年四月）、「寄せ場―公園―路上を貫く労務支配の構造」（『飛礫』44号、二〇〇四年一〇月）、「反ヒロシマ国体闘争の私的意味――「隼人」であるということ」（『飛礫』13号、一九九六年一二月）など。

山口晃（やまぐち・あきら）
一九四五年生まれ。翻訳家。訳書に『ヘンリー・ソロー全日記1851年』（二〇二〇年）、ソロー『コンコード川とメリマック川の一週間』（二〇一〇年、ともに而立書房）、ブレーク編『ソロー日記』（春夏秋冬全四巻、彩流社、二〇一三―一八年）、ソルト『ヘンリー・ソローの暮らし』（風行社、二〇〇一年）など。

山口守（やまぐち・まもる）
一九五三年生まれ。日本大学文理学部特任教授。専門は中国現代文学、台湾文学。著書に『巴金とアナキズム――理想主義の光と影』（中国文庫、二〇一九年）、訳書に『リラの花散る頃（巴金短篇集）』（JICC出版局、一九九一年）、史鉄生『遥かなる大地』（宝島社、一九九四年）、白先勇『台北人』（国書刊行会、二〇〇八年）、阿来『空山――風と火のチベット』（勉誠出版、二〇一二年）など。

山本明代（やまもと・あきよ）
名古屋市立大学大学院人間文化研究科教員、西洋史。主な著書に『移動がつくる東中欧・バルカン史』（共編、刀水書房、二〇一七年）、『大西洋を越えるハンガリー王国の移民――アメリカにおけるネットワークと共同体の形成』（彩流社、二〇一三年）。

山本健三（やまもと・けんそう）
一九七一年生まれ。島根県立大学教授、思想史。著書に『帝国・〈陰謀〉・ナショナリズム――「国民」形成過程のロシア社会とバルト・ドイツ人』（法政大学出版局、二〇一六年）、主な論文に「M・A・バクーニンにおけるアジア問題――G・マッツィーニ批判と「黄禍」」（『スラヴ研究』第六〇号、二〇一三年）、「二〇世紀初頭の東アジアにおけるクロポトキン主義の拡散――科学主義と道徳性」（『初期社會主義研究』第二九号、二〇二一年）など。

アナキズムを読《よ》む
〈自由〉を生きるためのブックガイド

2021年11月5日　初版第1刷発行
2024年4月17日　初版第2刷発行

編　者　田中《たなか》ひかる
発行所　株式会社 皓星社
発行者　晴山生菜
〒101-0051　東京都千代田区神田神保町3-10-601
電話：03-6272-9330　FAX：03-6272-9921
URL http://www.libro-koseisha.co.jp/
E-mail：book-order@libro-koseisha.co.jp
郵便振替　00130-6-24639
装丁・本文デザイン　木下 弥
組　版　鈴木さゆみ
編　集　竹中龍太

印刷・製本　精文堂印刷株式会社

ISBN978-4-7744-0752-4　C0010
落丁・乱丁本はお取替えいたします。